中国古诗集字字帖

黄庭坚行书集字古诗

俞丰 瞿秀华 编

U0112811

上海书画出版社

出 版 说 明

现代人生活节奏的加快以及学习方法的多样性选择，使“集字字帖”在当今书法学习过程中起到越来越明显的作用。这些具各类书体、各派书家风貌的集字帖，使学书者能在短时间内获得临摹和创作的双重收获，提高书法学习的兴趣，因此“集字字帖”广受书法爱好者和教师的欢迎。

我社继出版以楷、隶书体为主的《中国古诗集字字帖》第一辑后，现又推出集行、草、汉简等书体的“集字古诗”第二辑共八种。此套字帖注重对原碑帖风貌和书家风格的把握，在碑版翻成墨迹、点画边缘处理、部首拼组、章法布局等方面力求妥帖自然，恰到好处，同时在集字帖前安排一组创作形制，使读者能够获得更多、更便捷的学书参考。

此册集字帖以宋代黄庭坚行书为依托，用于集字的主要碑帖有《松风阁诗》、《发愿文》、《范滂传》等。

目 录

中堂

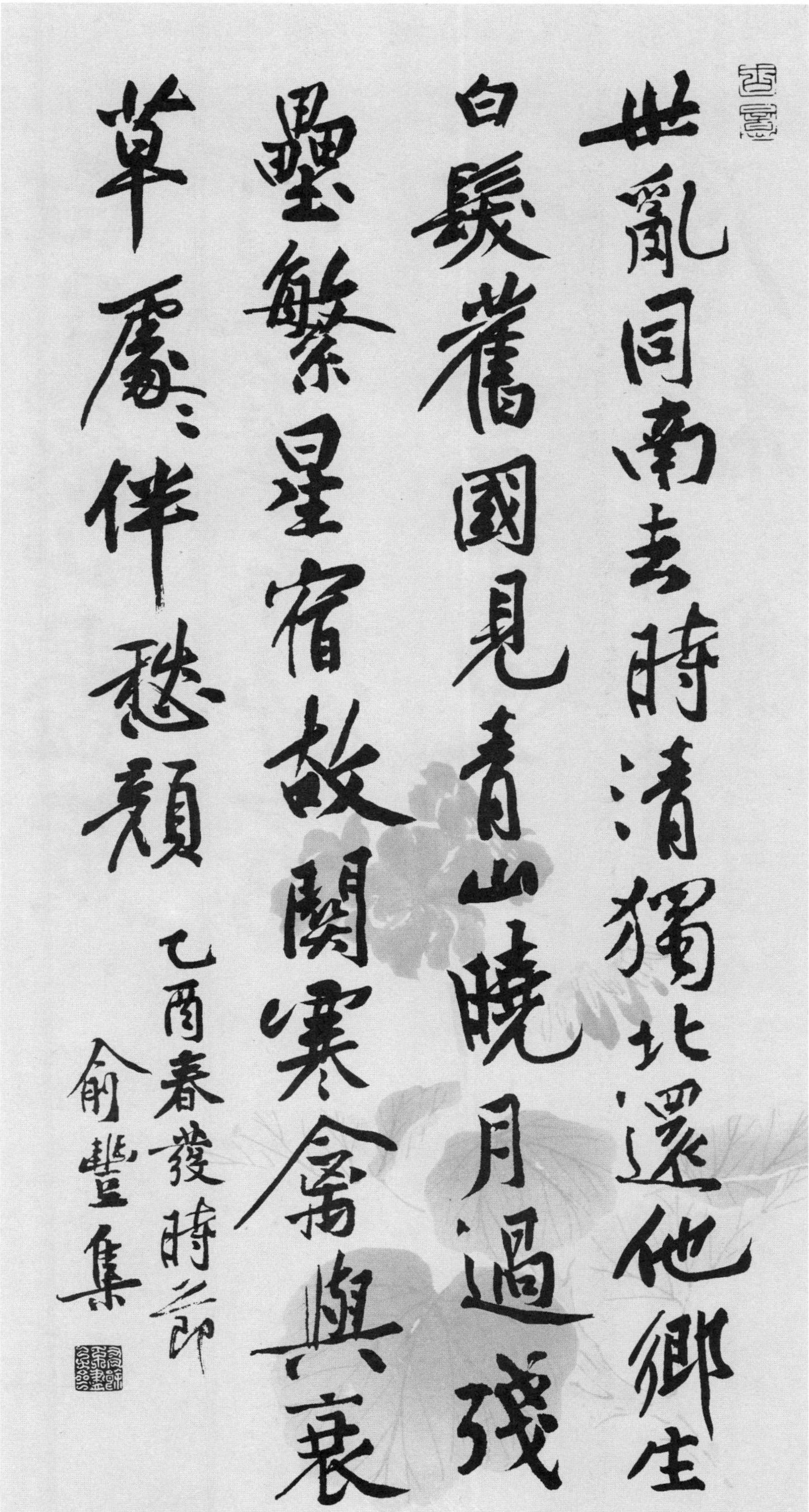
世亂同南去時清獨北還他鄉生
白髮舊國見青山曉月過殘
壘繁星宿故關寒禽與衰
草處處伴愁顏
乙酉春錄時一節
俞豐集

斗方

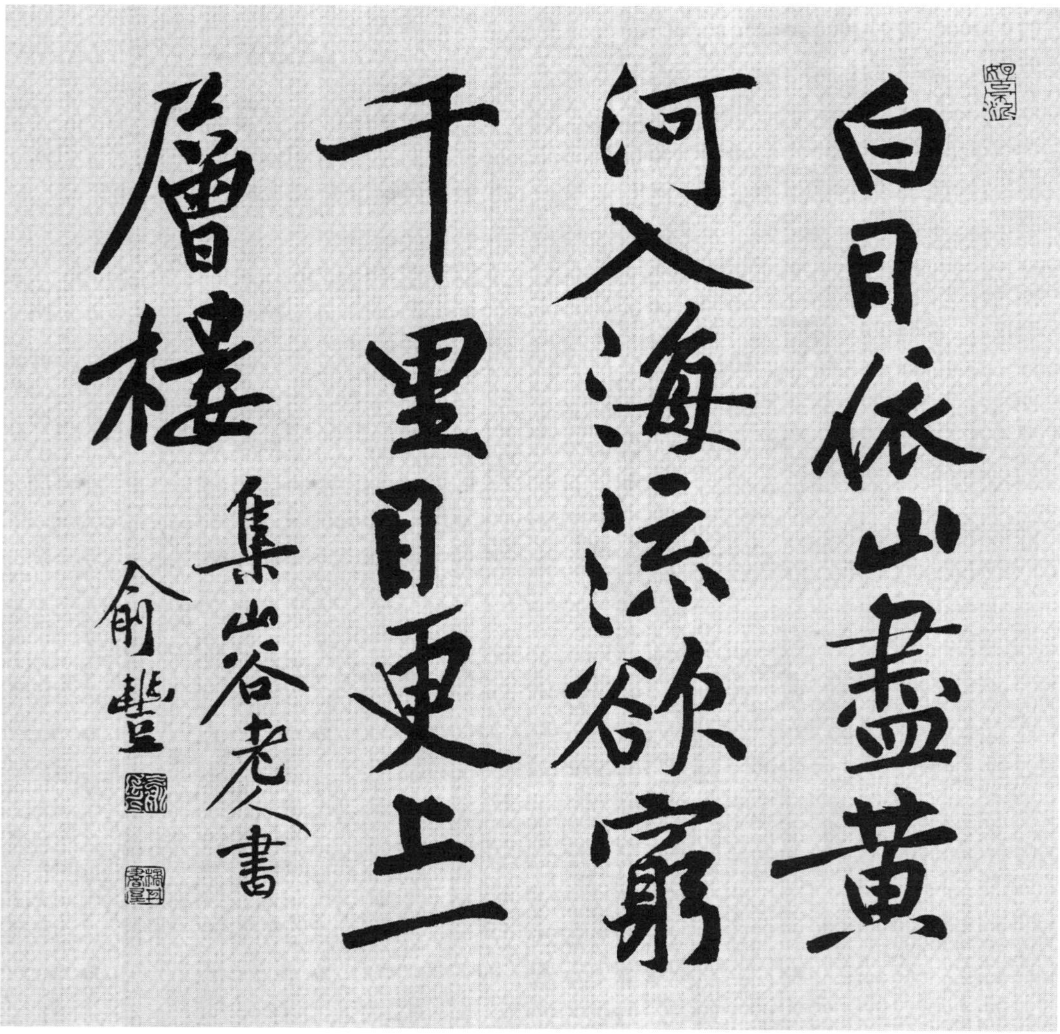
白日依山盡黃
河入海流欲窮
千里目更上一
層樓
集山谷老人書
俞豐

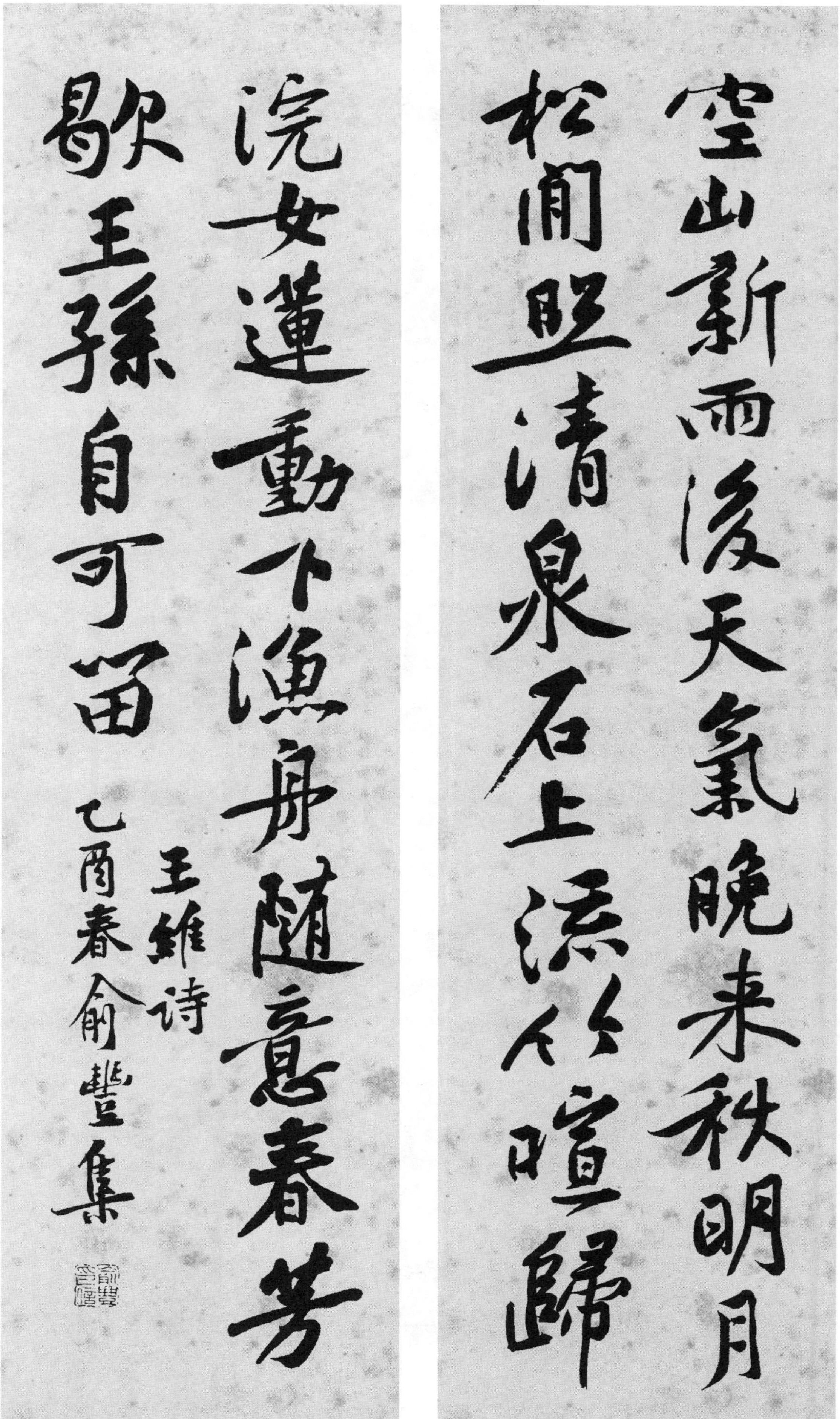
空山新雨後天氣晚来秋明月
松間照清泉石上流竹喧歸
浣女蓮動下漁舟隨意春芳
歇王孫自可留
王維詩
乙酉春俞豐集

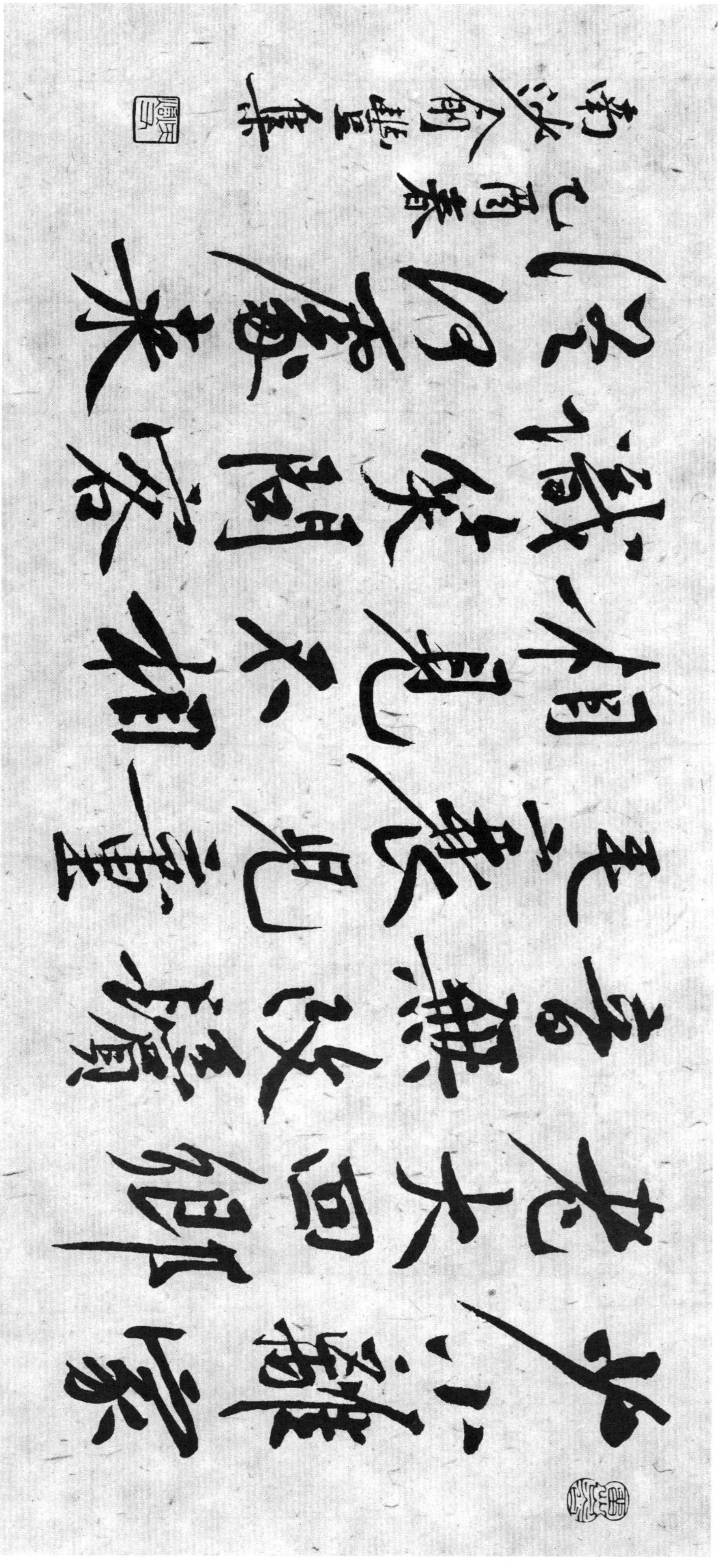

横幅

折扇

团扇

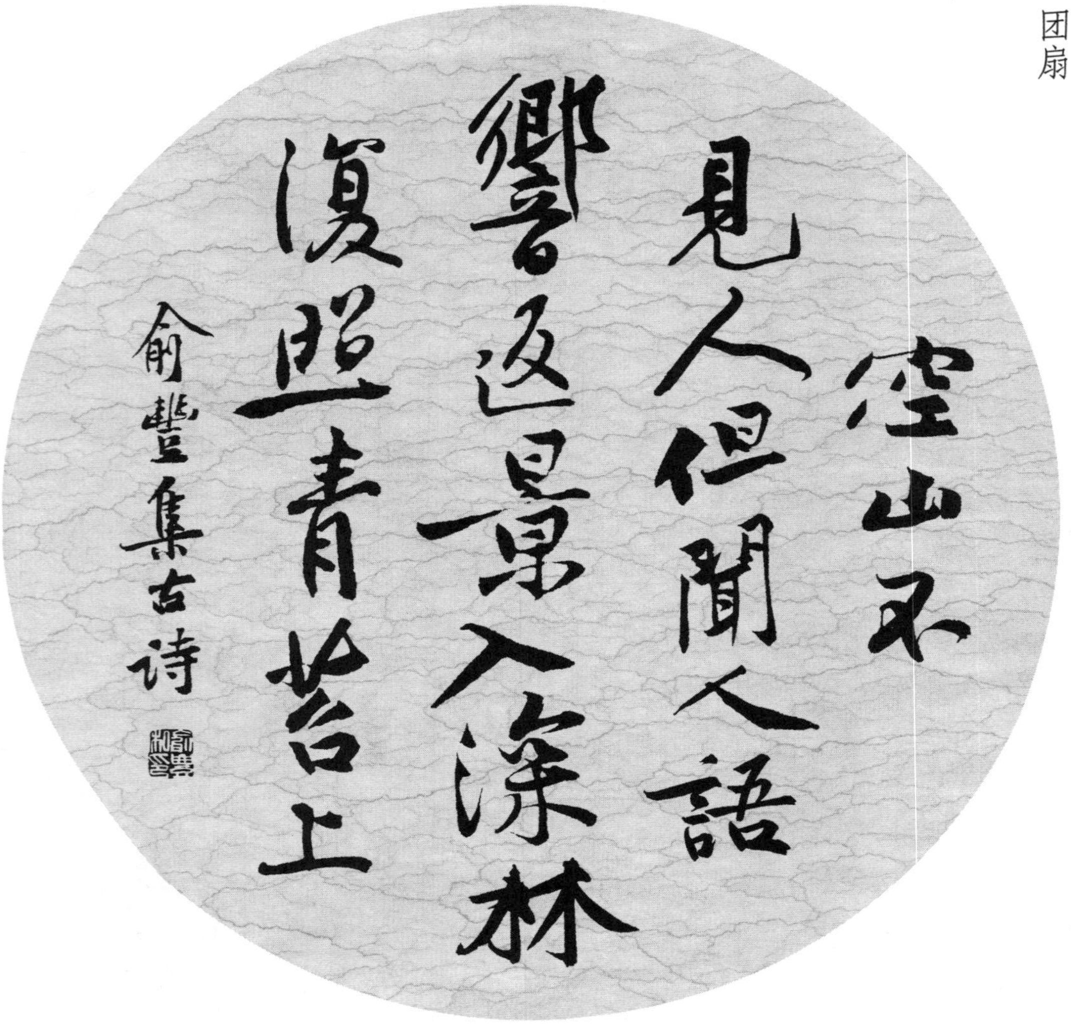
空山不
見人但聞人語
響返景入深林
復照青苔上
俞豐集古詩

空山不见人，但闻人语响。返景入深林，复照青苔上。

《鹿柴》王维

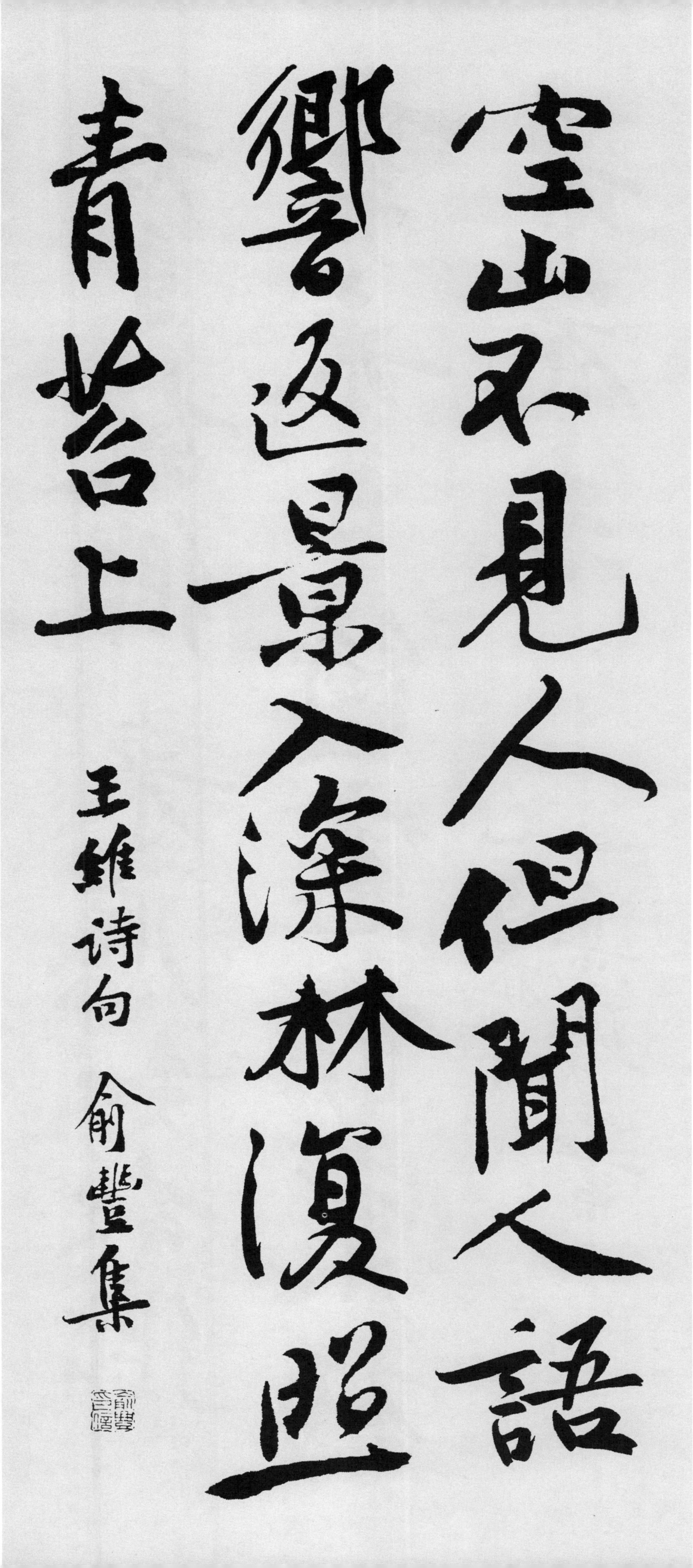
空山不見人但聞人語響返景入深林復照青苔上
王維詩句 俞豐集

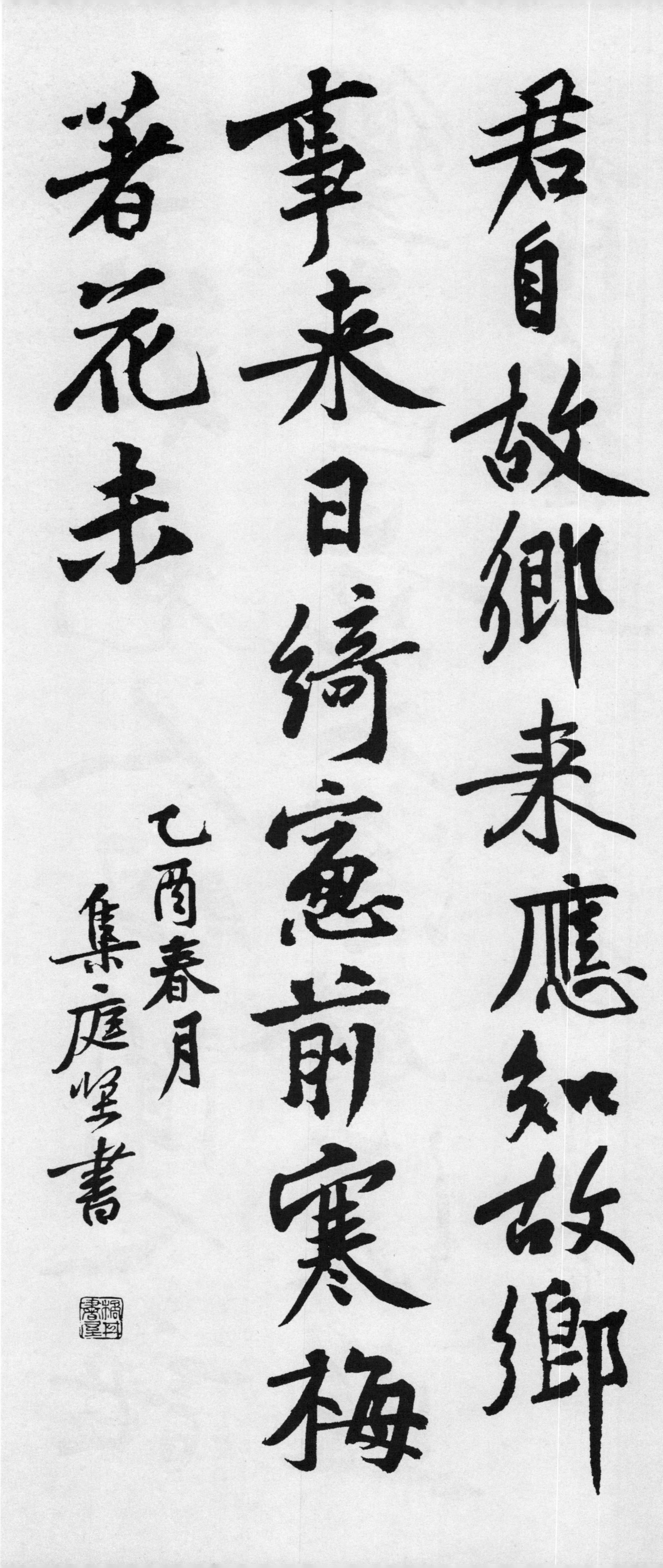
君自故鄉來應知故鄉事來日綺窗前寒梅著花未
乙酉春月
集庭堅書

君自故乡来，应知故乡事。来日绮窗前，寒梅著花未？

《杂诗》王维

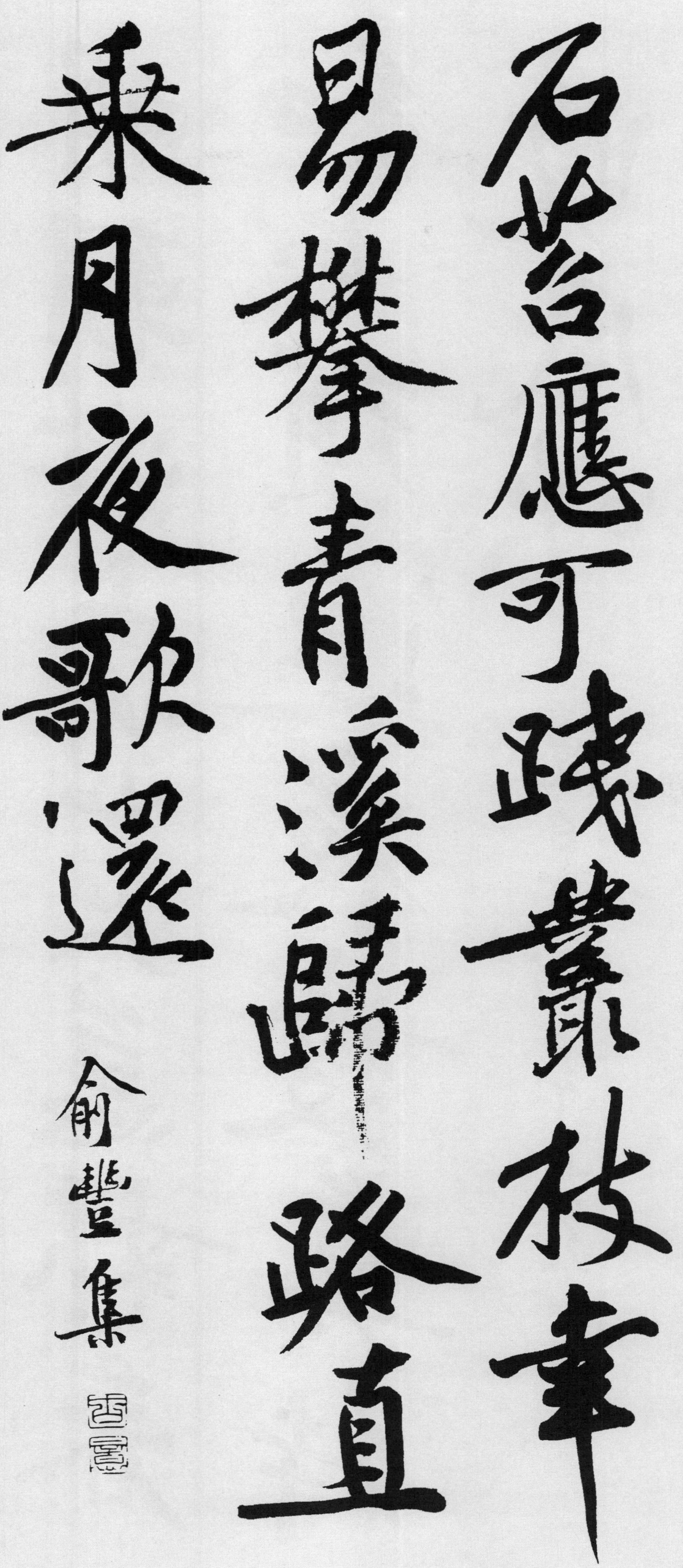

石苔应可践，从枝幸易攀。青溪归路直，乘月夜歌还。

《夜还东溪》王绩

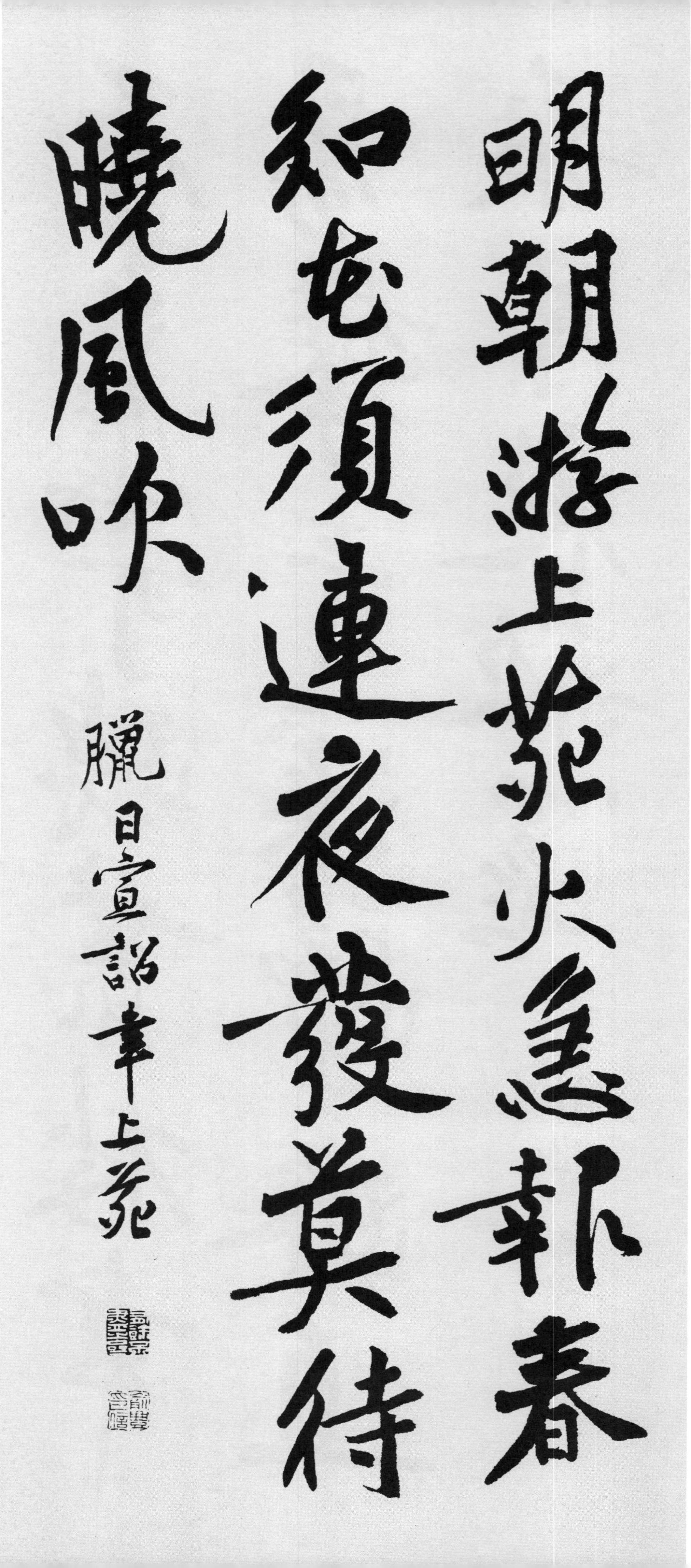

明朝游上苑，火急报春知。花须连夜发，莫待晓风吹。

《腊日宣诏幸上苑》武则天

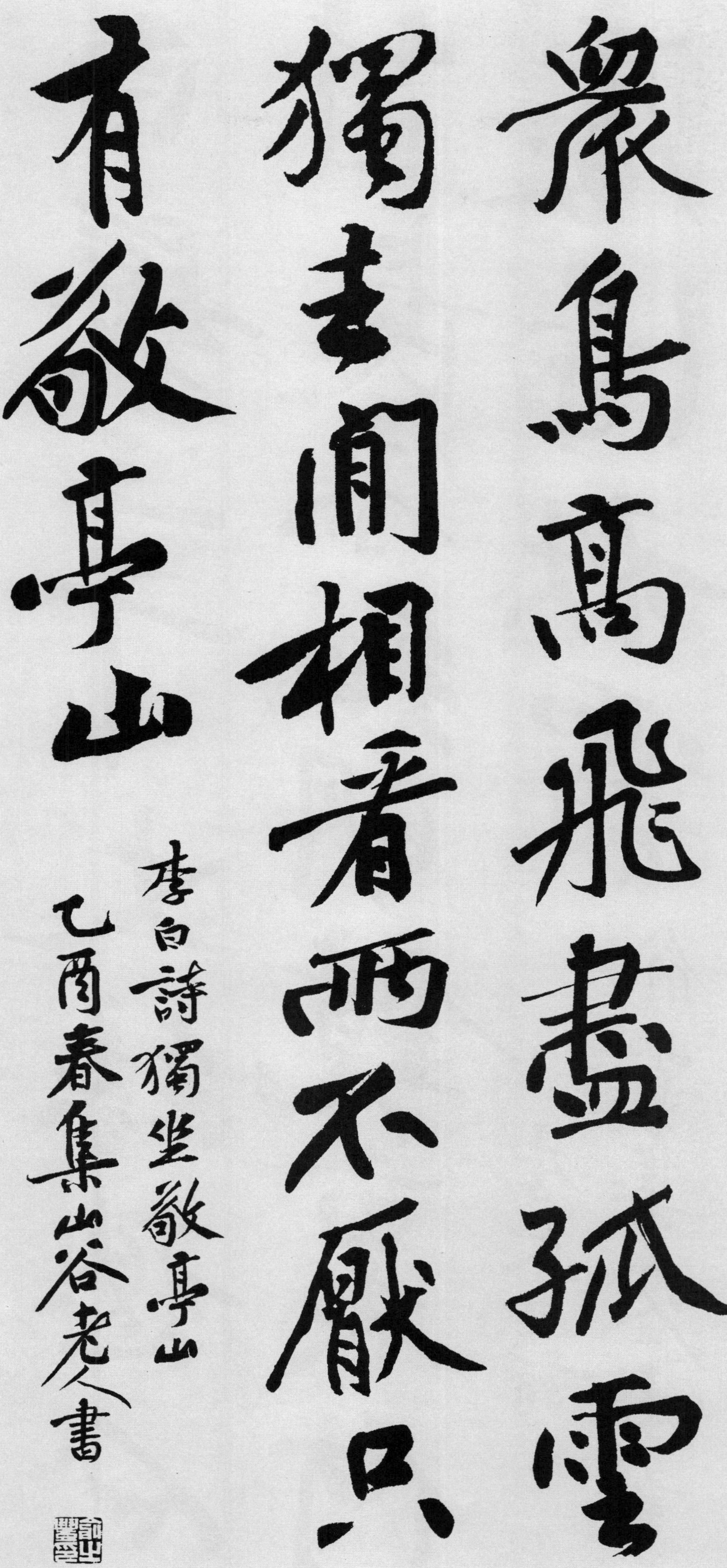

众鸟高飞尽，孤云独去闲。相看两不厌，只有敬亭山。

《独坐敬亭山》李白

白发三千丈，缘愁似个长。不知明镜里，何处得秋霜。

《秋浦歌》李白

白髮三千丈緣愁似
箇長不知明鏡裏何
處得秋霜

李太白詩

俞豐集山谷老人書

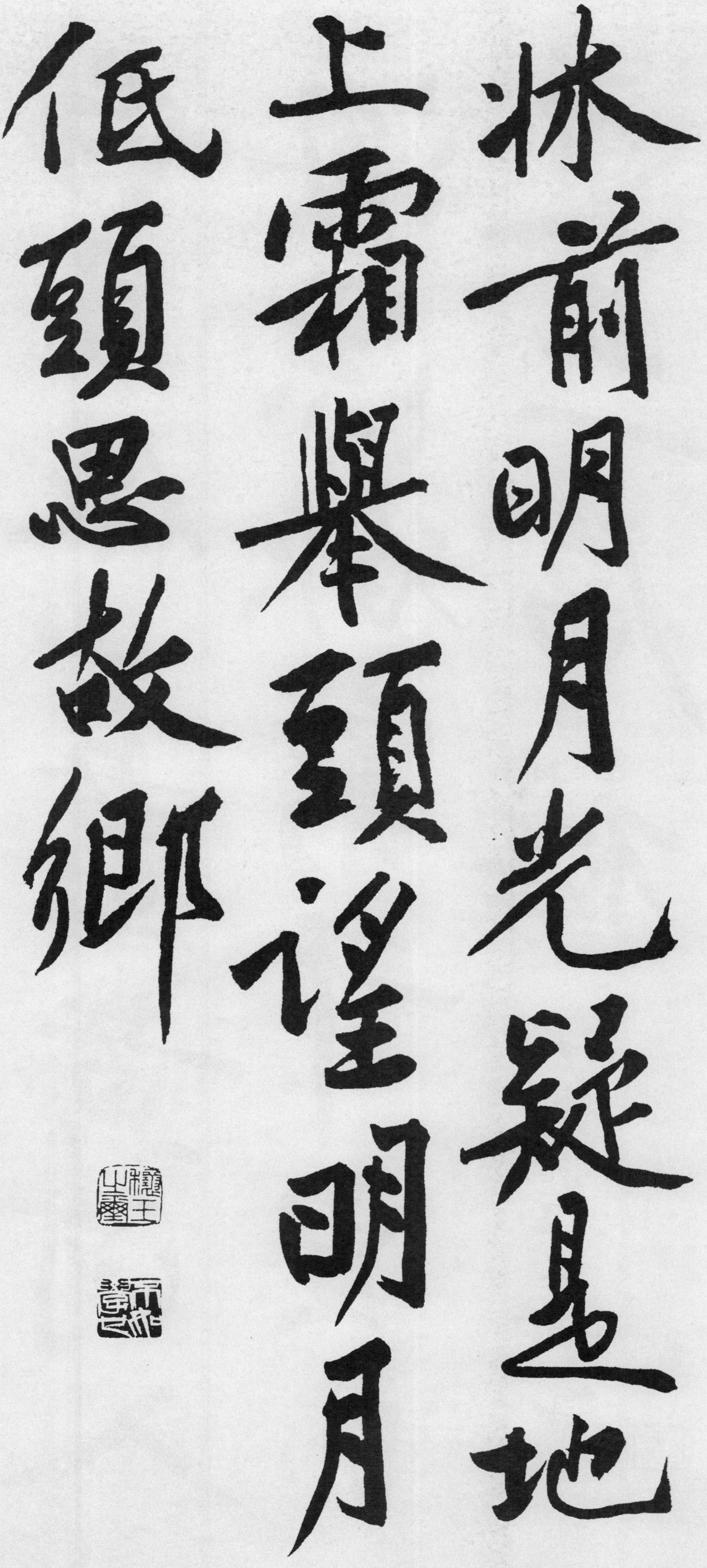

床前明月光，疑是地上霜。举头望明月，低头思故乡。

《静夜思》李白

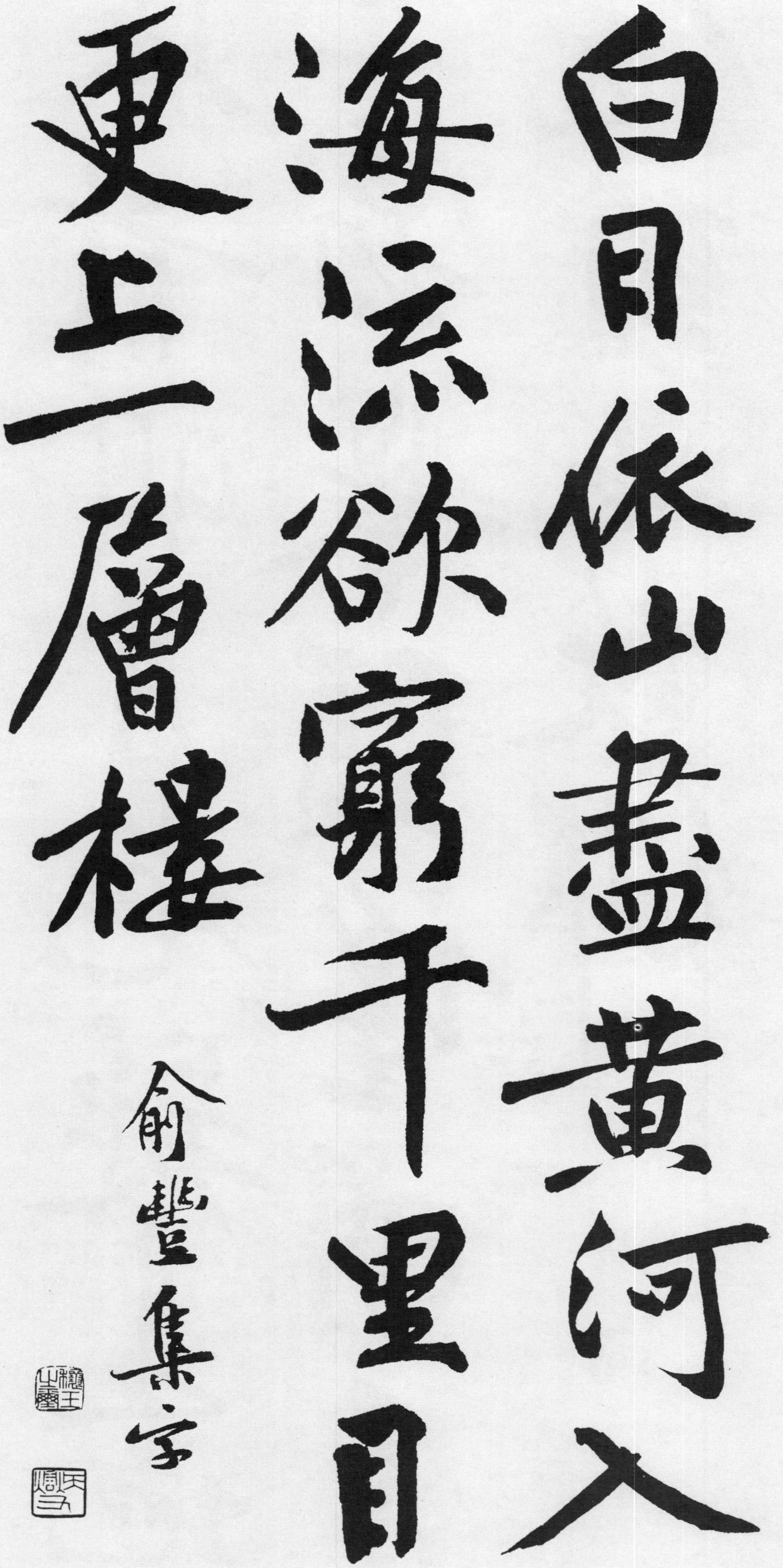
白日依山盡黃河入
海流欲窮千里目
更上一層樓
俞豐集字

白日依山尽，黄河入海流。欲穷千里目，更上一层楼。

《登鹳雀楼》王之涣

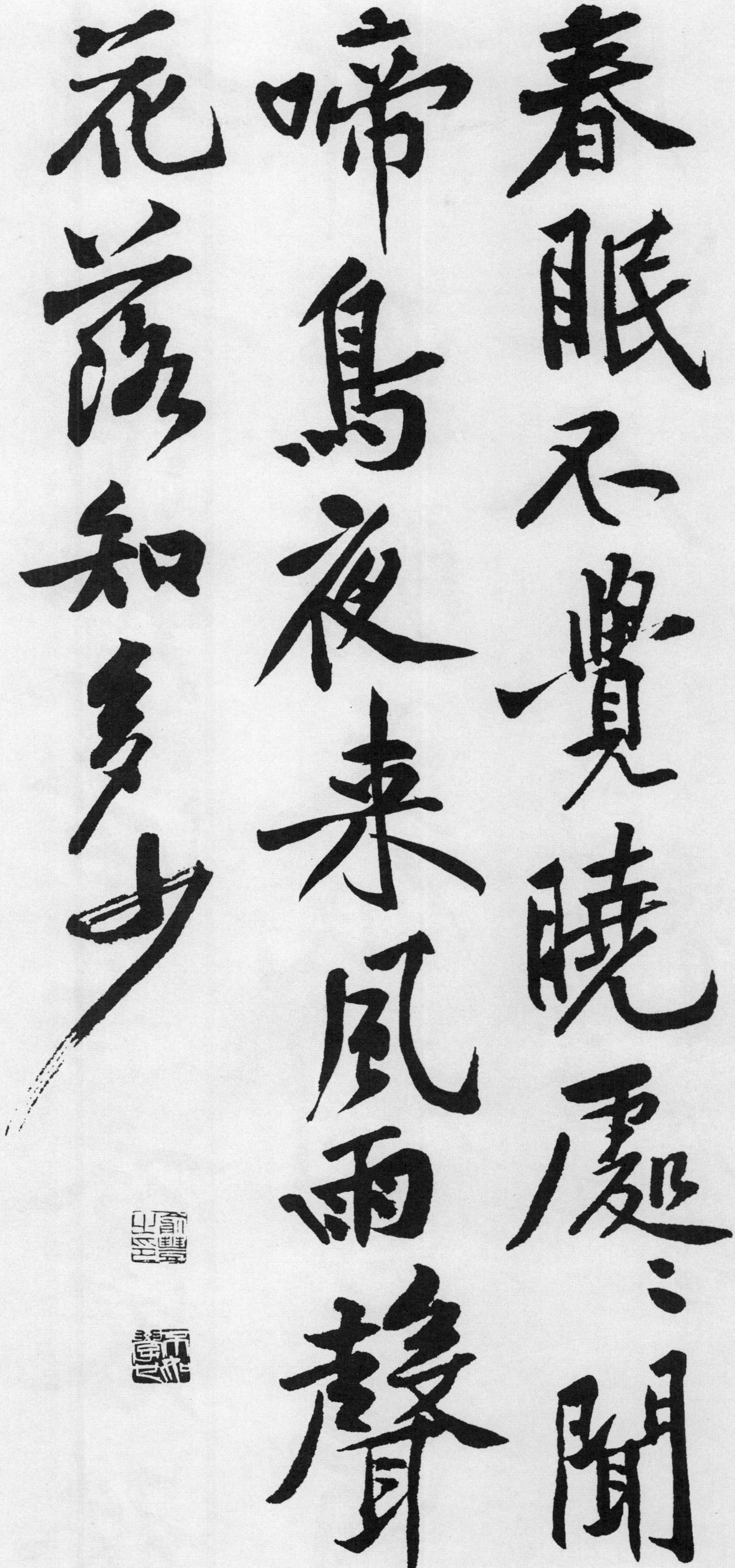

春眠不觉晓，处处闻啼鸟。夜来风雨声，花落知多少。

《春晓》孟浩然

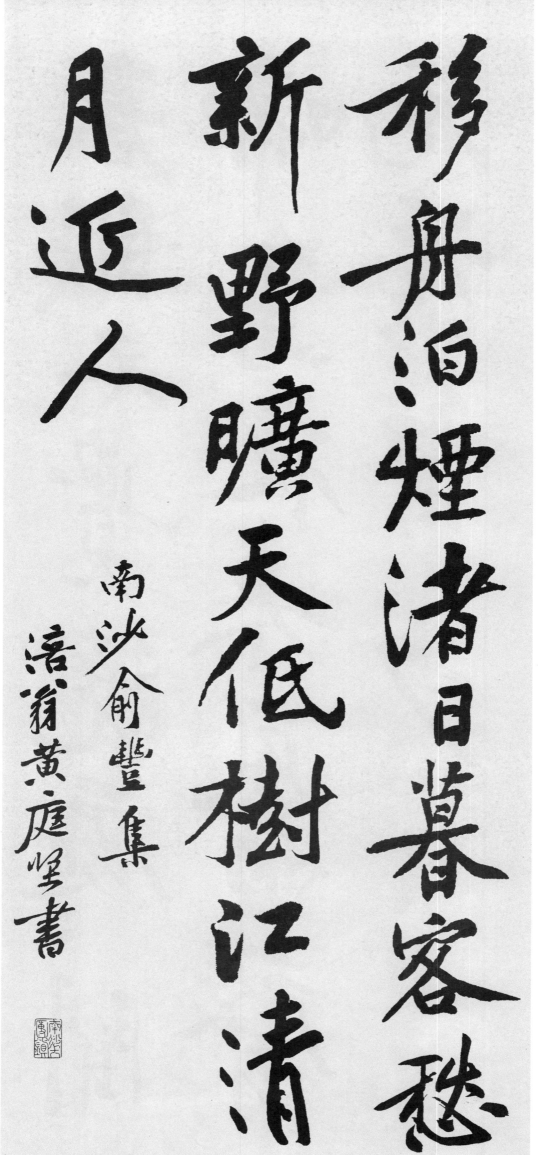

移舟泊煙渚日暮客愁新野曠天低樹江清月近人

南沙俞豐集

涪翁黃庭堅書

移舟泊烟渚，日暮客愁新。野旷天低树，江清月近人。

《宿建德江》孟浩然

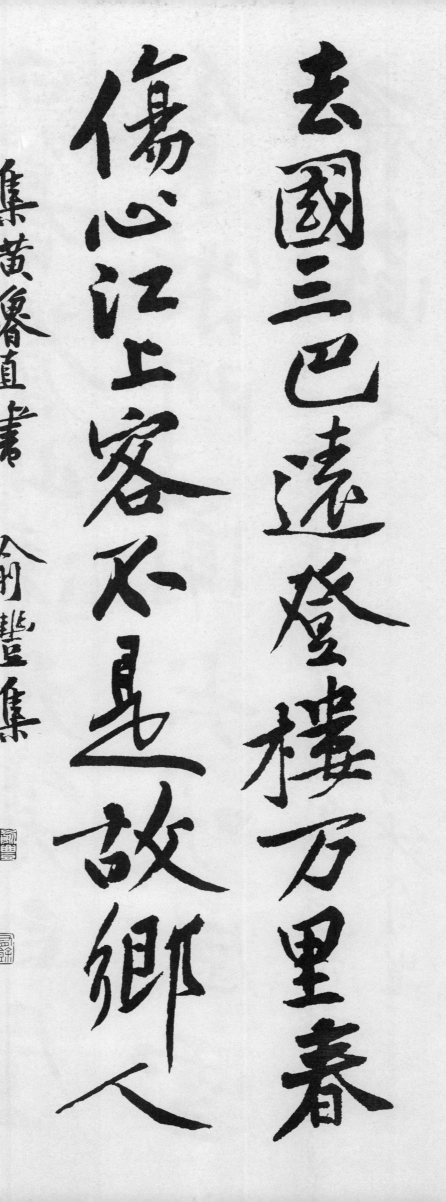

去國三巴遠登樓万里春
傷心江上客不是故鄉人

集黃魯直書 俞豐集

去国三巴远，登楼万里春。伤心江上客，不是故乡人。

《南望楼》卢僎

日暮苍山远，天寒白屋贫。柴门闻犬吠，风雪夜归人。

《逢雪宿芙蓉山主人》刘长卿

日暮蒼山遠天寒白屋貧柴門聞犬吠風雪夜歸人

此以涪翁書集長卿詩

南沙俞豐

江上往来人，但爱鲈鱼美。君看一叶舟，出没风波里。

《江上渔者》范仲淹

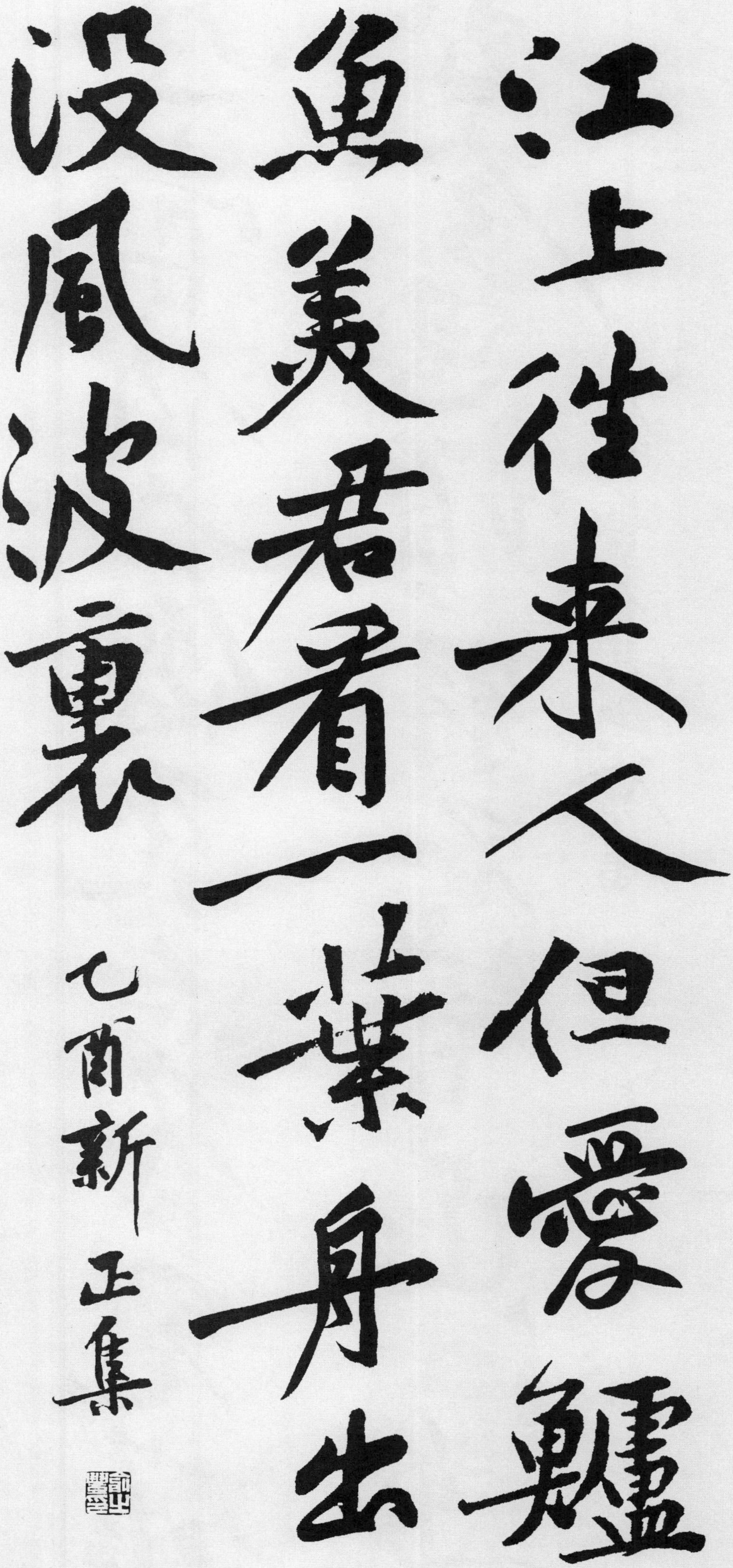

生当作人杰，死亦为鬼雄。至今思项羽，不肯过江东。

《夏日绝句》李清照

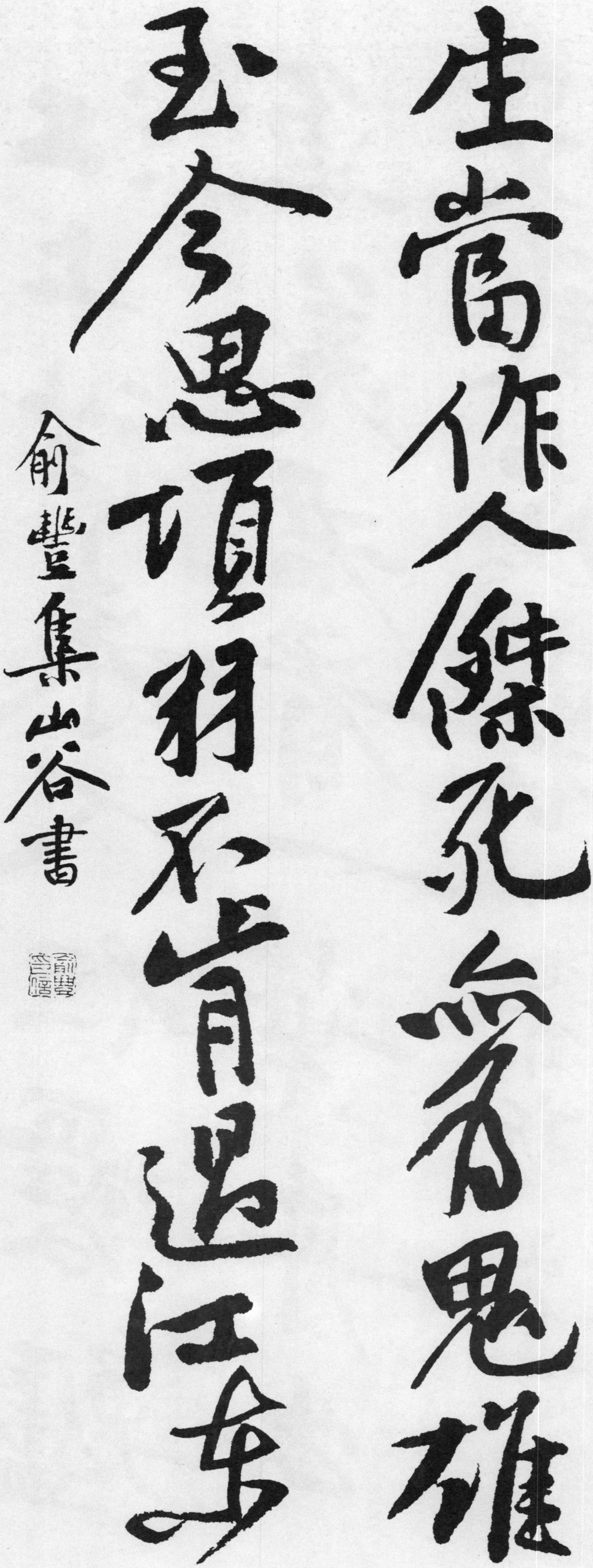

满纸荒唐言，一把辛酸泪。都云作者痴，谁解其中味？

《题红楼梦》曹雪芹

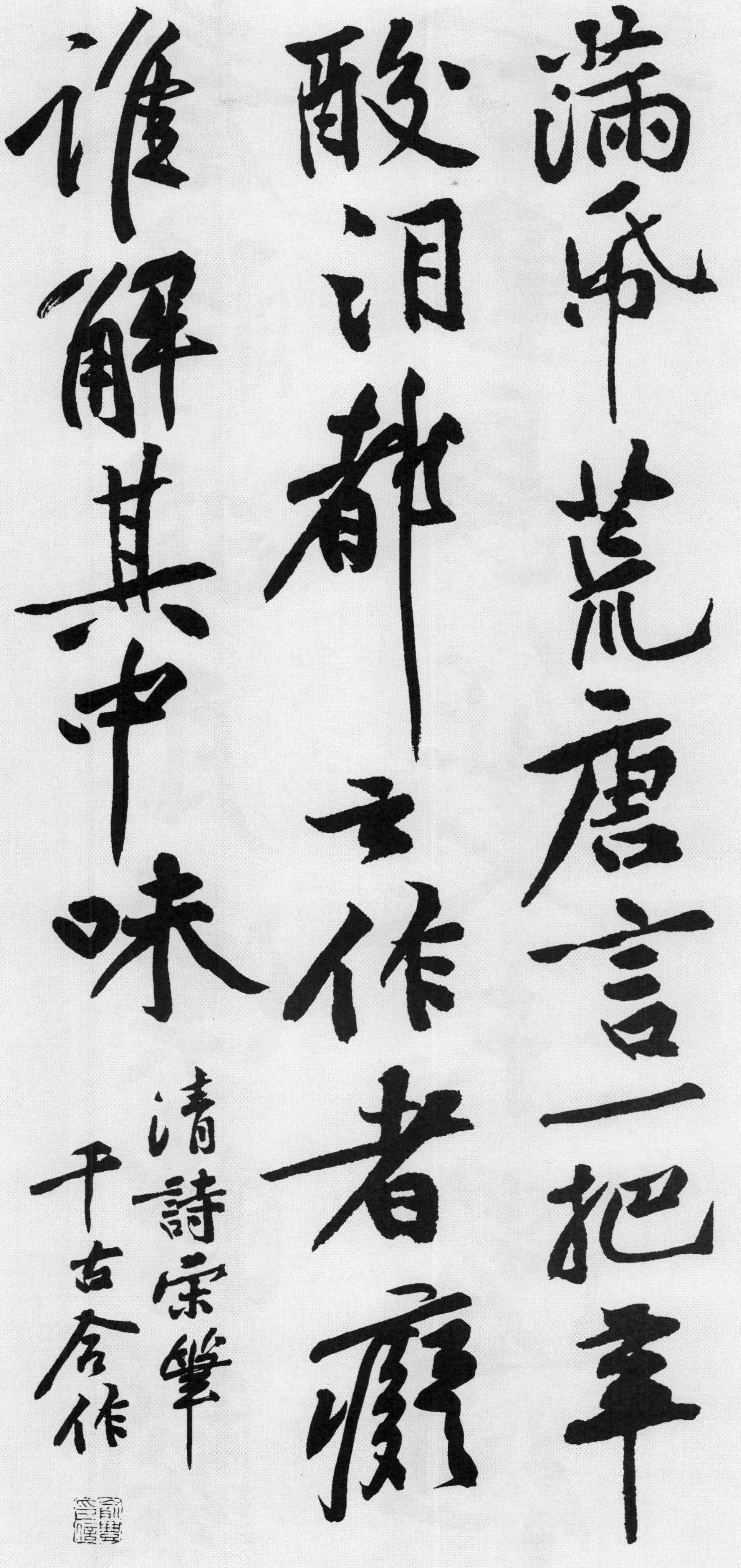
满纸荒唐言一把辛
酸泪都云作者痴
谁解其中味
清詩宗肇
千古合作

秦時明月漢時關

万里長征人未還但

秦时明月汉时关，万里长征人未还。但使龙城飞将在，不教胡马度阴山。

《出塞》王昌龄

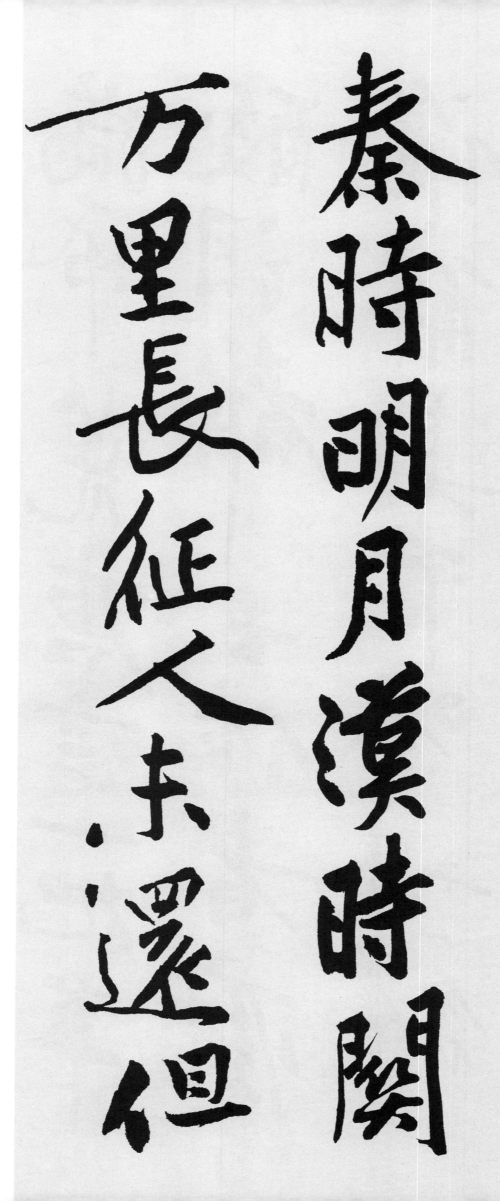

使龍城飛將在不
教胡馬度陰山

寒雨连江夜入吴，平明送客楚山孤。洛阳亲友如相问，一片冰心在玉壶。

《芙蓉楼送辛渐》王昌龄

寒雨連江夜入吳

平明送客楚山孤

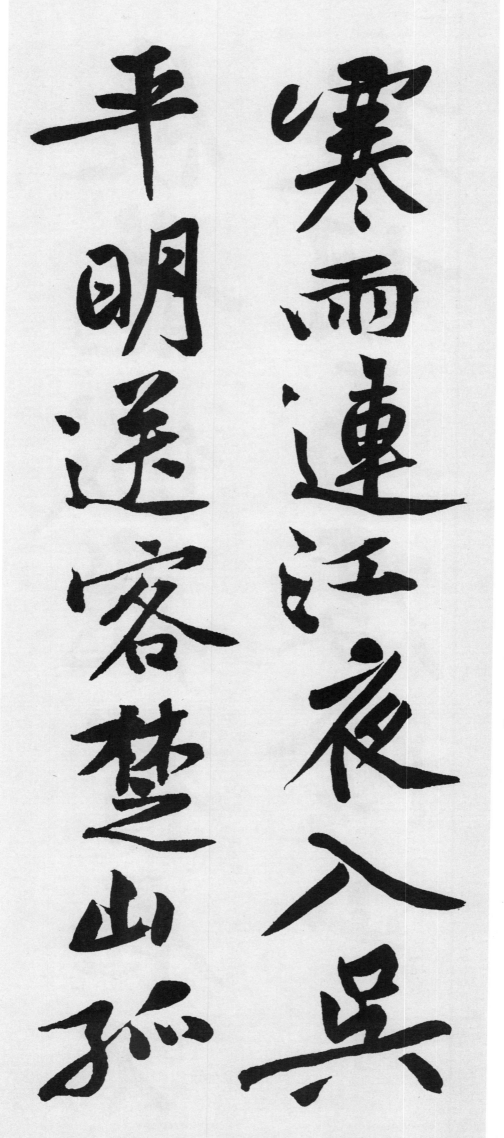

洛陽親友如相問
一片冰心在玉壺

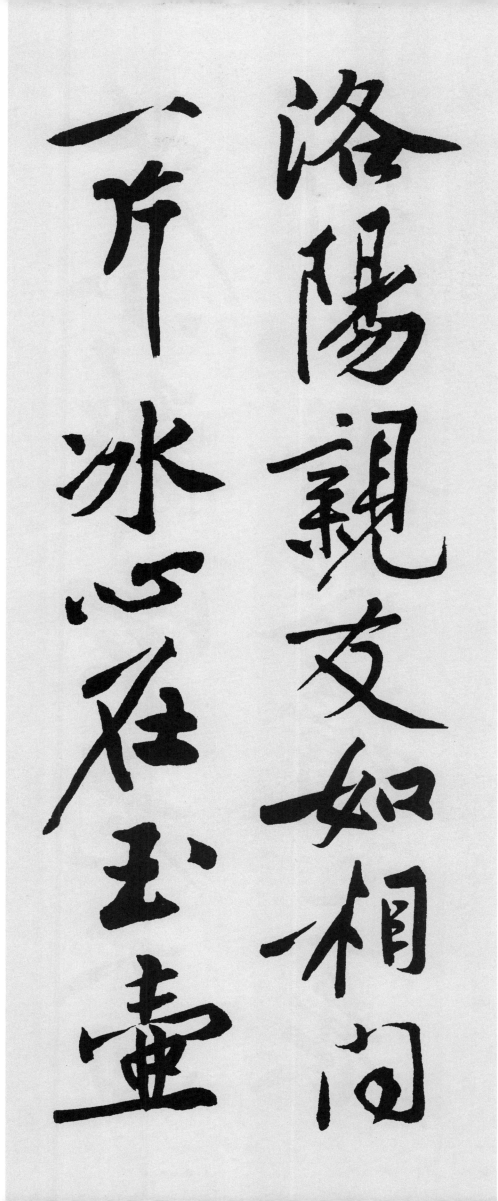

少小离家老大回，乡音无改鬓毛衰。儿童相见不相识，笑问客从何处来。

《回乡偶书》贺知章

少小離家老大回

鄉音無改鬢毛衰

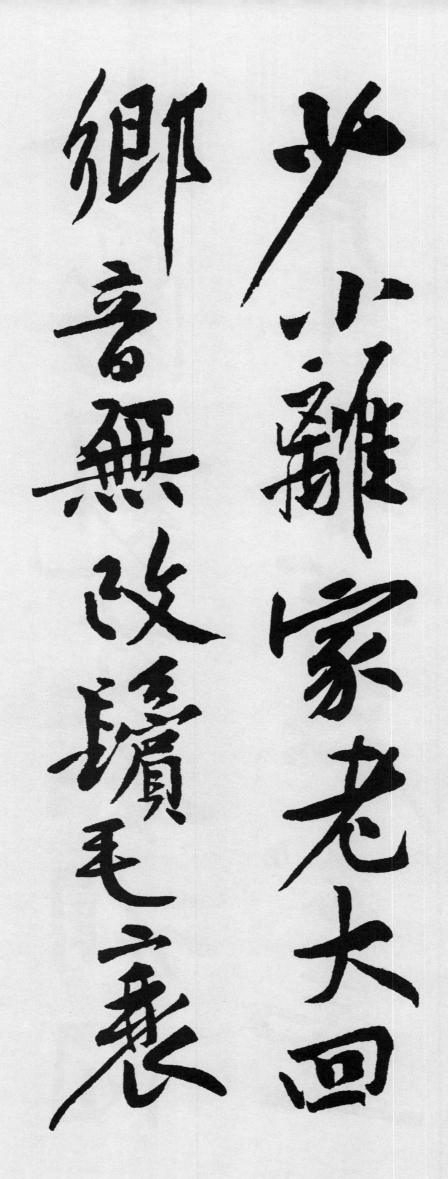

兒童相見不相識

笑問客從何處來

日落沙明天倒开，波摇石动水萦回。轻舟泛月寻溪转，疑是山阴雪后来。

《东鲁门泛舟》李白

日落沙明天倒開

波搖石動水縈迴

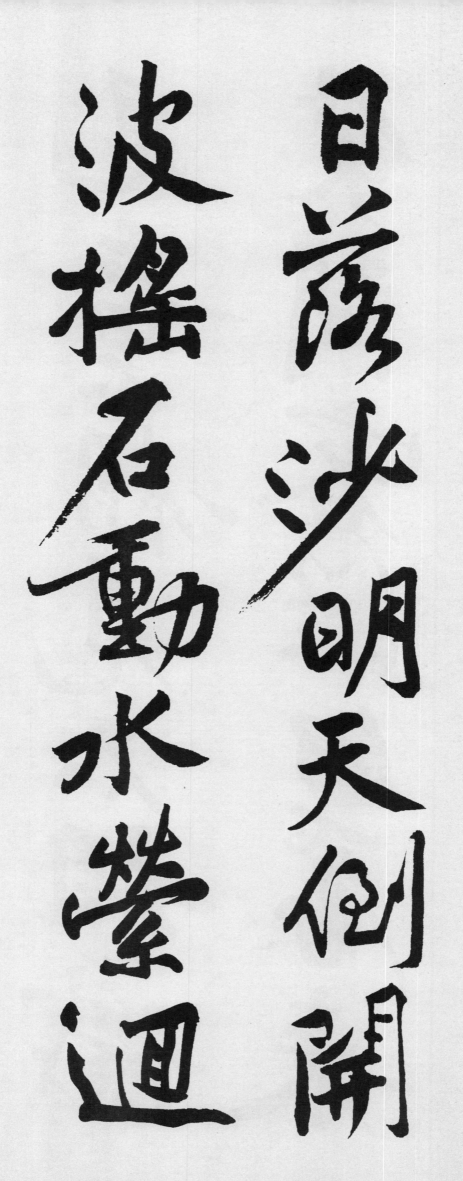

輕舟泛月尋溪轉
疑是山陰雪後來

南湖秋水夜无烟，耐可乘流直上天。且就洞庭赊月色，将船买酒白云边。

《陪族叔刑部侍郎晔及中书贾舍人至游洞庭》李白

南湖秋水夜無煙

耐可乘流直上天

且就洞庭賒月色

將船買酒白雲邊

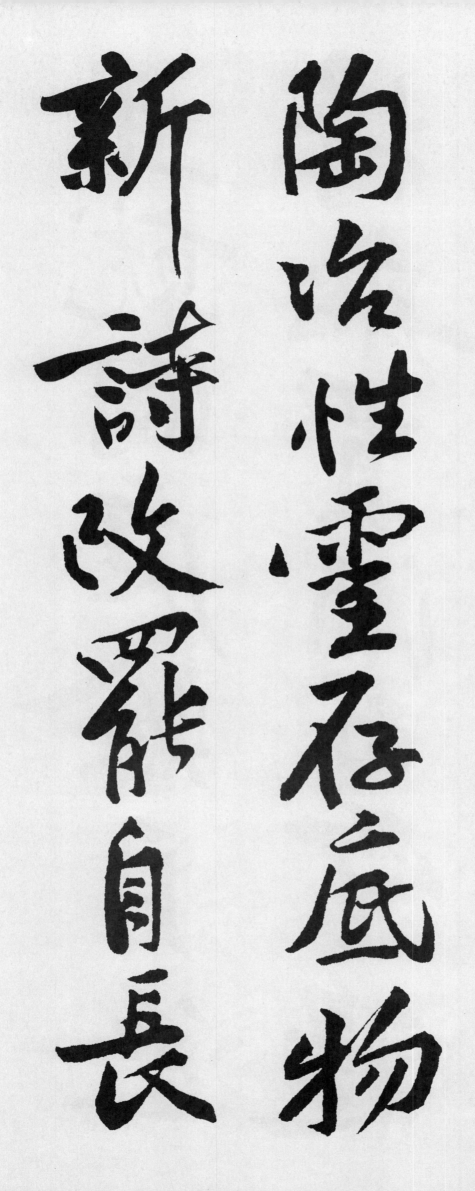

陶冶性靈存底物
新詩改罷自長

陶冶性灵存底物，新诗改罢自长吟。孰知二谢将能事，颇学阴何苦用心。

《解闷》杜甫

吟孰知二謝将能事
頗學陰何苦用心

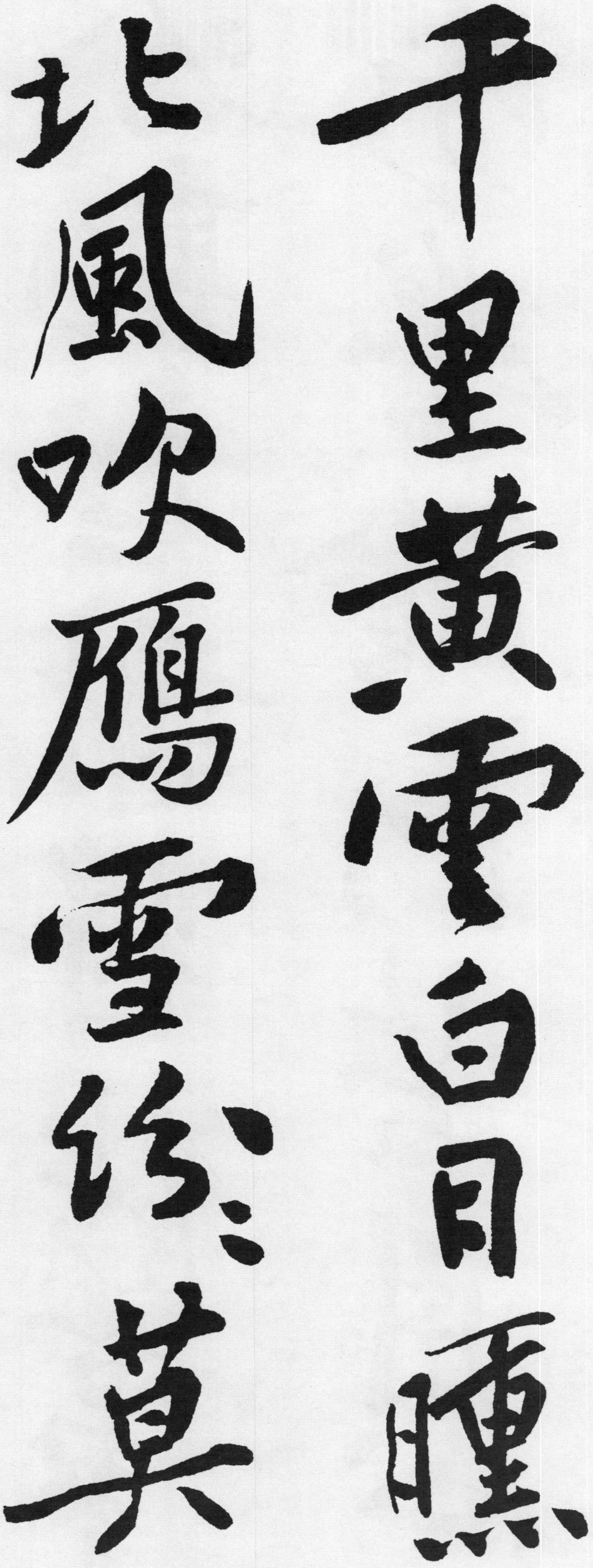

千里黄云白日曛，北风吹雁雪纷纷。莫愁前路无知己，天下谁人不识君。

《别董大》高适

愁前路無知己天
下誰人不識君

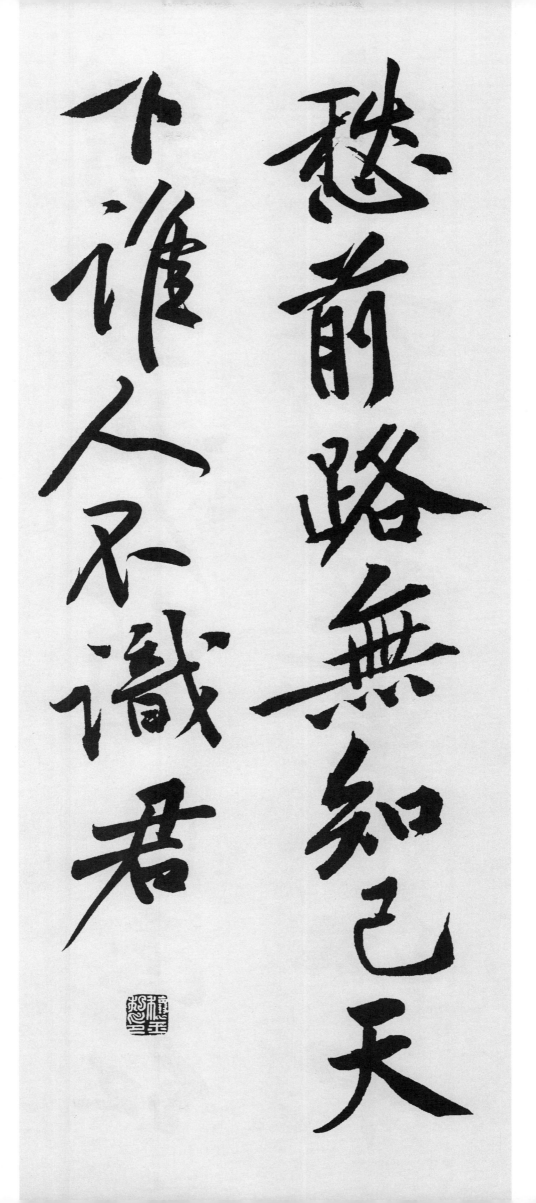

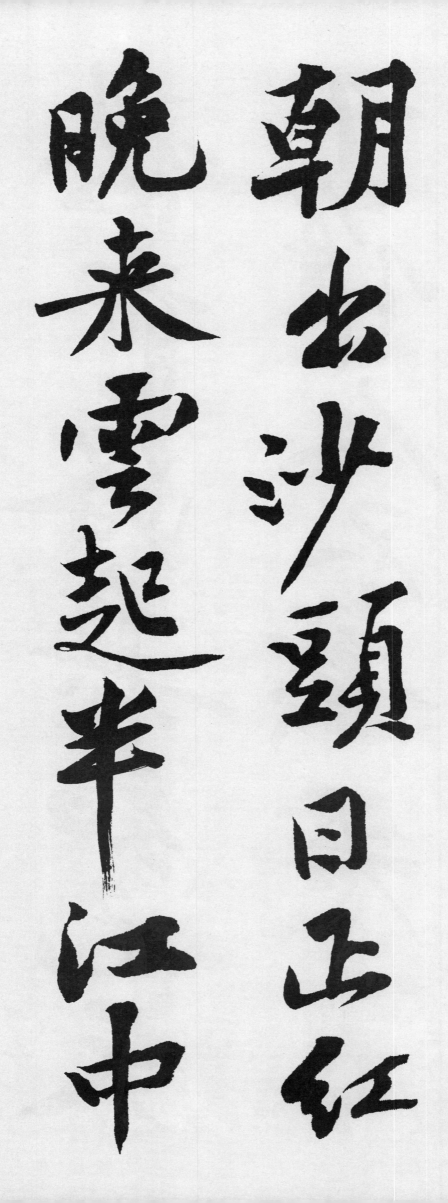

朝出沙頭日正紅

晚來雲起半江中

朝出沙头日正红，晚来云起半江中。赖逢邻女曾相识，并著莲舟不畏风。

《采莲词》张潮

邂逅鄰女曾相識
並著蓮舟不畏風

山光物態弄春暉

莫爲輕陰便擬

山光物态弄春晖，莫为轻阴便拟归。纵使晴明无雨色，入云深处亦沾衣。

《山中留客》张旭

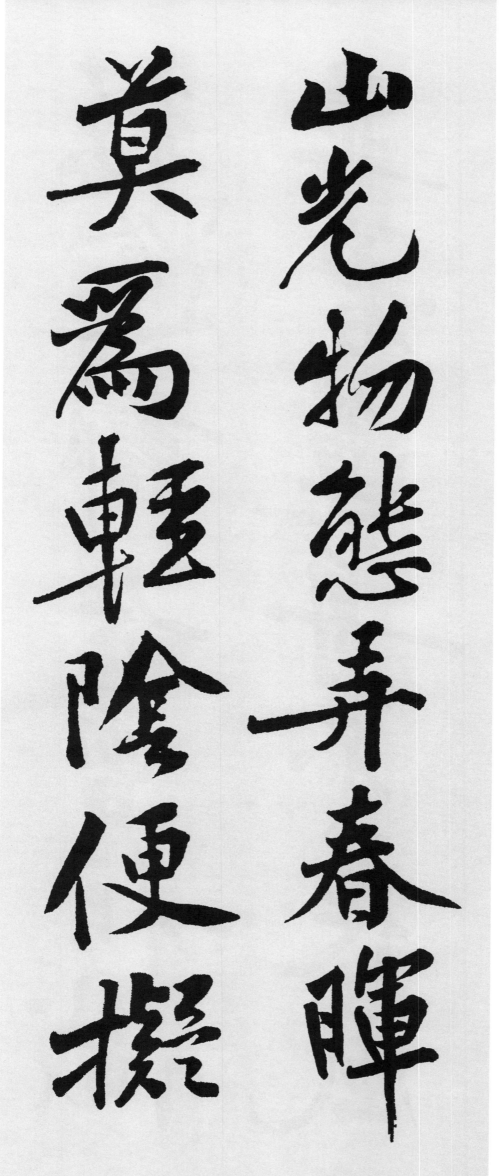

歸縱使晴明無雨
色入雲深處亦霑衣

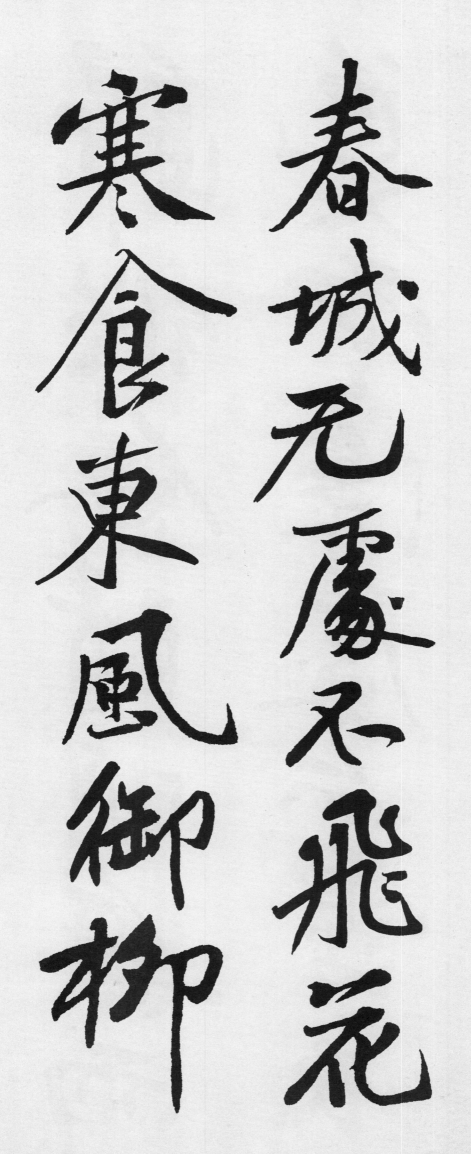

春城无處不飛花

寒食東風御柳

春城无处不飞花，寒食东风御柳斜。日暮汉宫传蜡烛，轻烟散入五侯家。

《寒食》韩翃

斜日暮漢宮傳蠟
燭輕煙散入五侯家

韩公堆上望秦川，渺渺关山西接连。孤客一身千里外，未知归日是何年。

《望韩公堆》崔涤

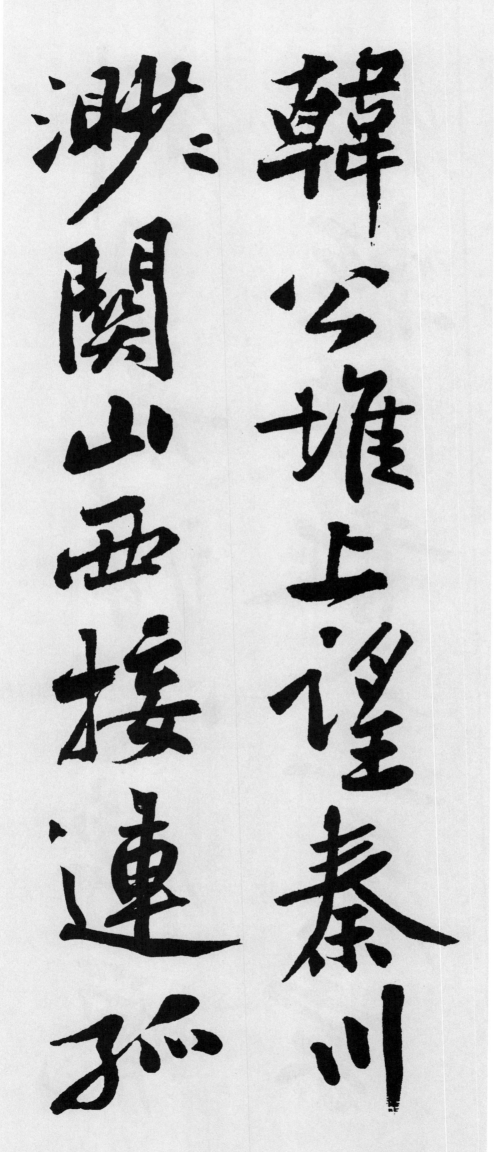

韓公堆上望秦川

渺渺關山西接連孤

客一身千里外未知
歸日是何年

五原春色舊來遲
二月垂楊未掛絲

五原春色旧来迟，二月垂杨未挂丝。即今河畔冰开日，正是长安花落时。

《边词》张敬忠

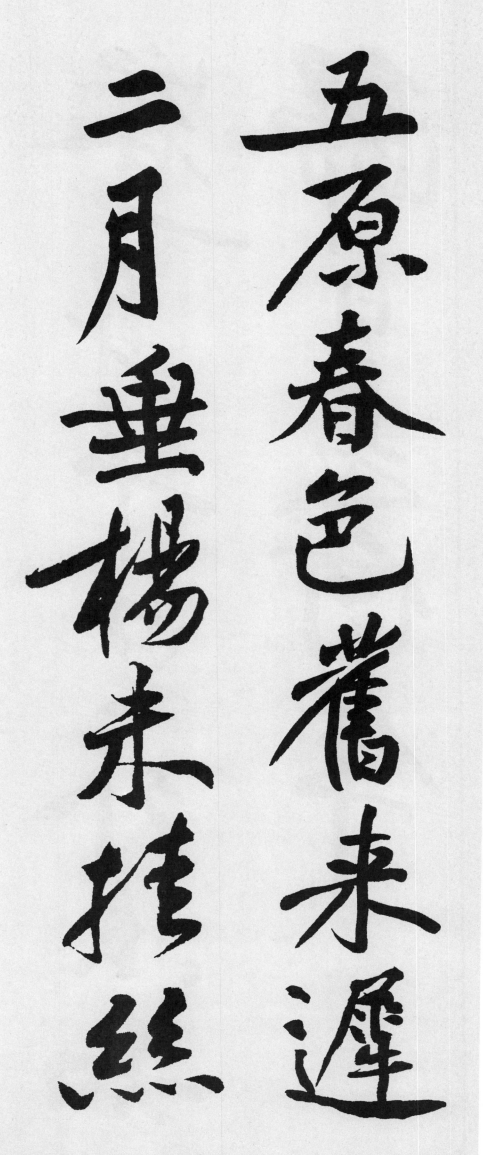

即今河畔冰開日
正是長安花落時

巴陵一望洞庭秋，日见孤峰水上浮。闻道神仙不可接，心随湖水共悠悠。

《送梁六自洞庭山作》张说

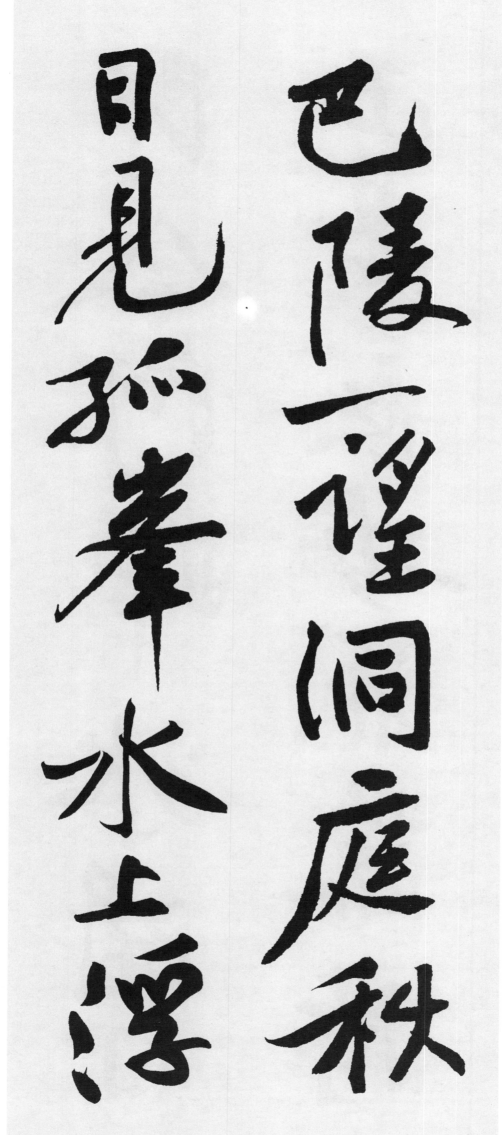

巴陵一望洞庭秋

日见孤峰水上浮

聞道神仙不可接

心隨湖水共悠悠

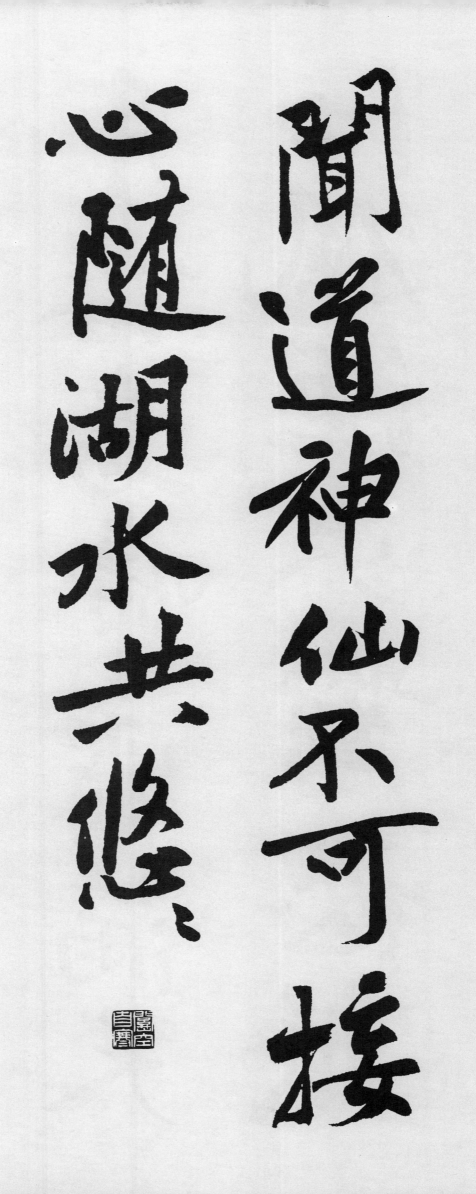

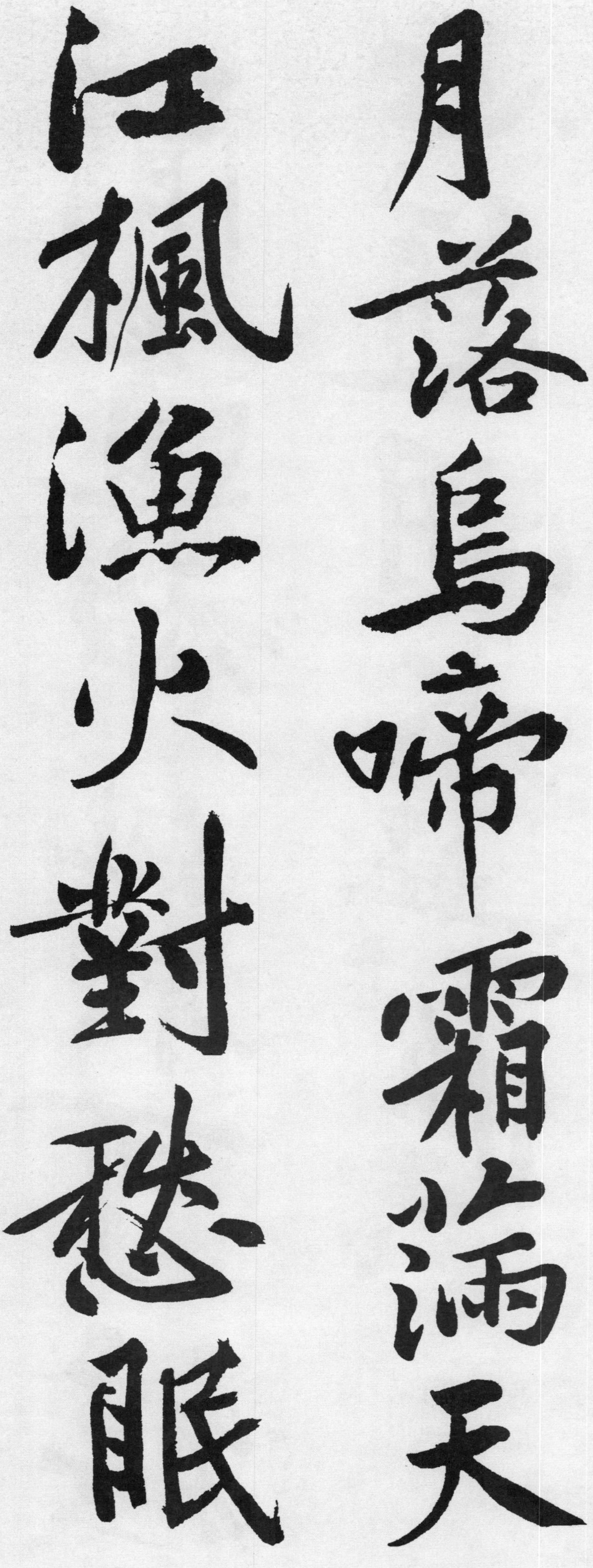

月落乌啼霜满天，江枫渔火对愁眠。姑苏城外寒山寺，夜半钟声到客船。

《枫桥夜泊》张继

姑蘇城外寒山寺夜
半鐘聲到客船

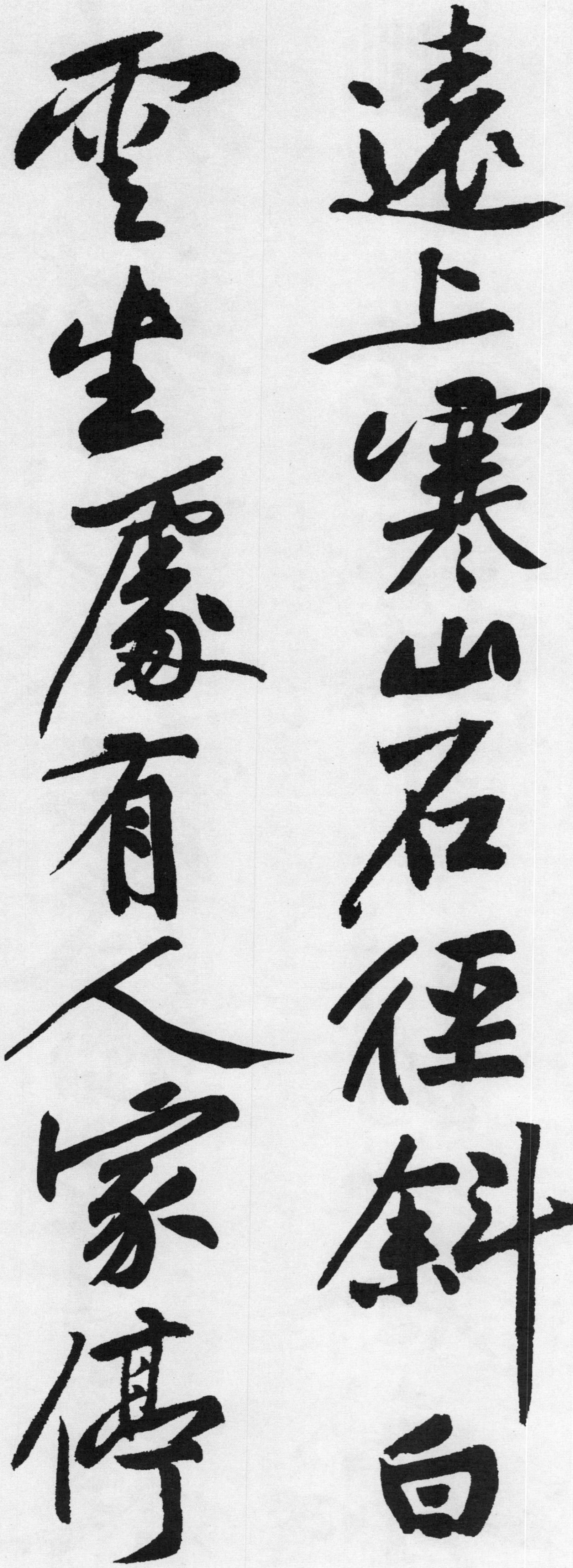

远上寒山石径斜，白云生处有人家。停车坐爱枫林晚，霜叶红于二月花。

《山行》杜牧

車坐愛楓林晚霜
葉紅於二月花

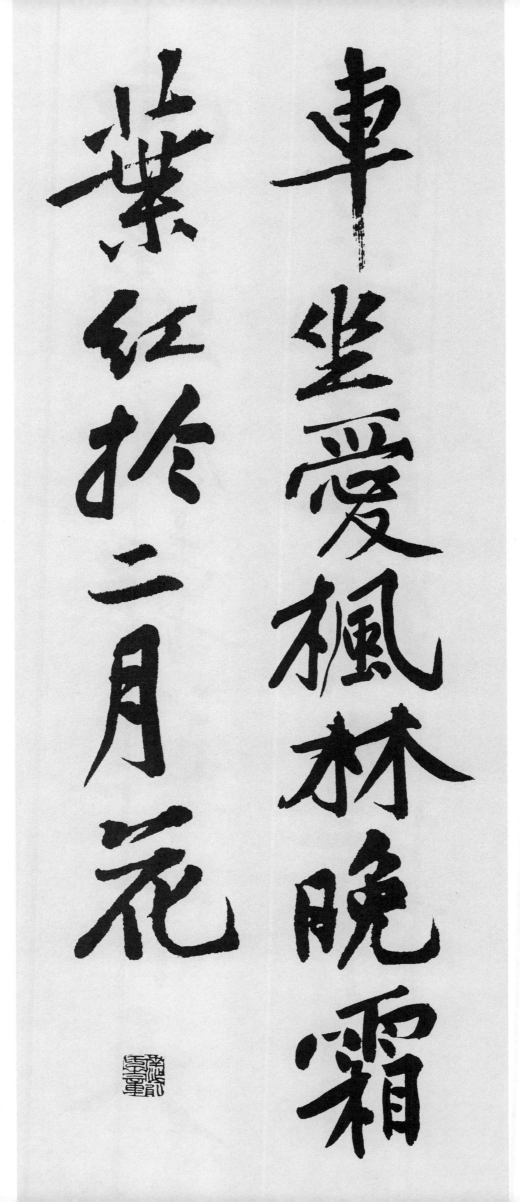

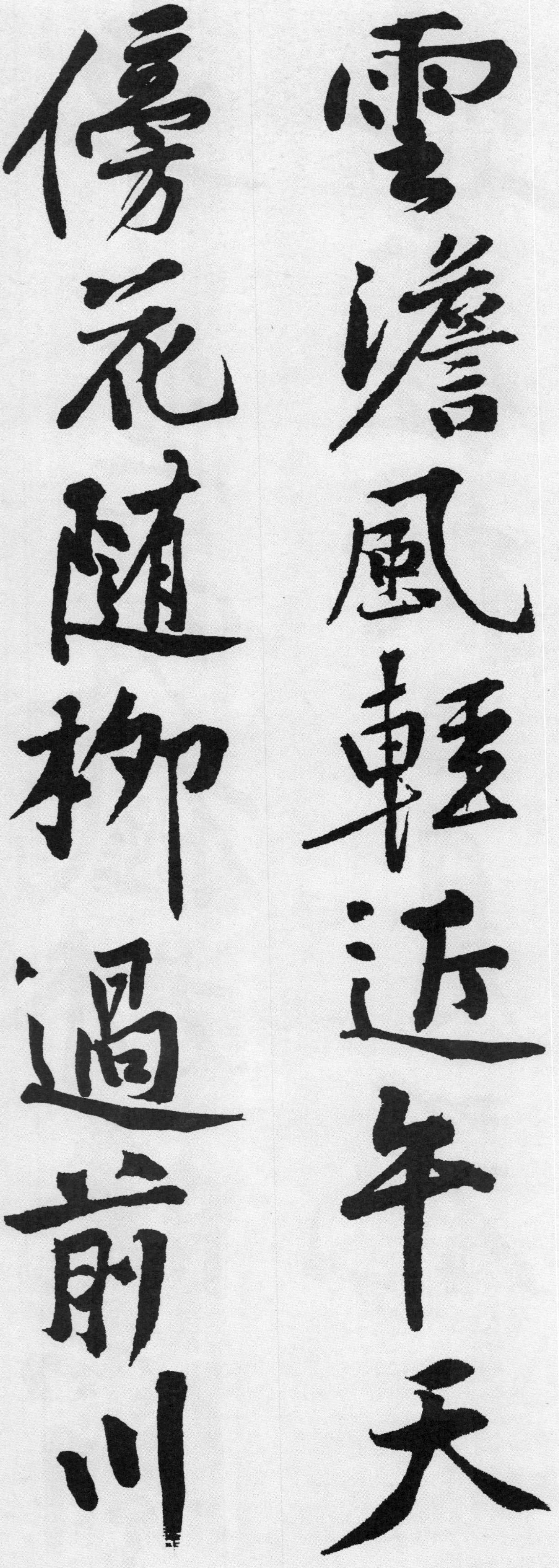

云淡风轻近午天，傍花随柳过前川。时人不识余心乐，将谓偷闲学少年。

《春日偶成》程颢

時人不識余心樂將
謂偷閒學少年

毕竟西湖六月中，风光不与四时同。接天莲叶无穷碧，映日荷花别样红。

《晓出净慈寺送林子方》杨万里

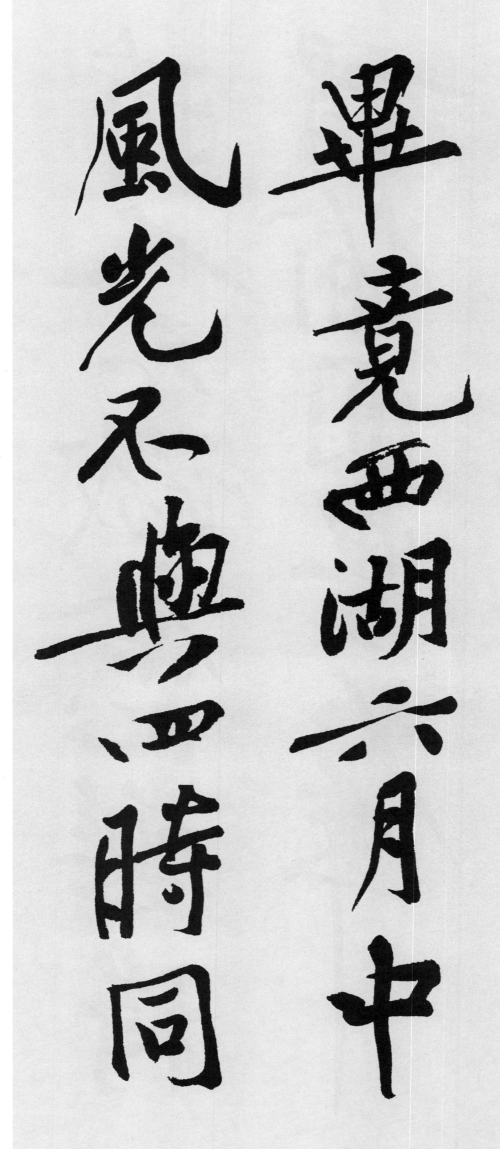

畢竟西湖六月中

風光不與四時同

接天蓮葉無窮碧

映日荷花別樣红

死去原知万事空

但悲不見九州同

死去原知万事空，但悲不见九州同。王师北定中原日，家祭无忘告乃翁。

《示儿》陆游

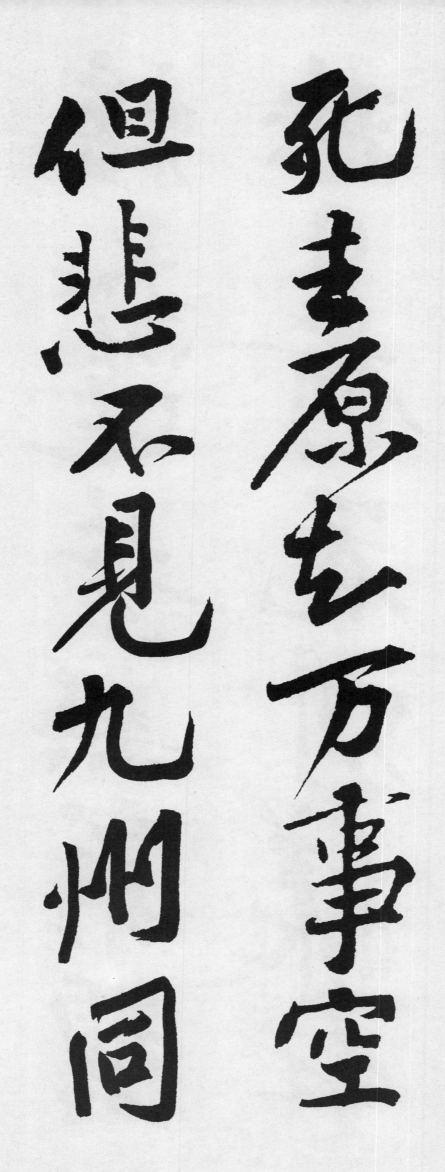

王師北定中原日
家祭无忘告乃翁

京口瓜洲一水間鍾

山只隔數重山春

京口瓜洲一水间，钟山只隔数重山。春风又绿江南岸，明月何时照我还？

《泊船瓜洲》王安石

風又綠江南岸明
月何時照我還

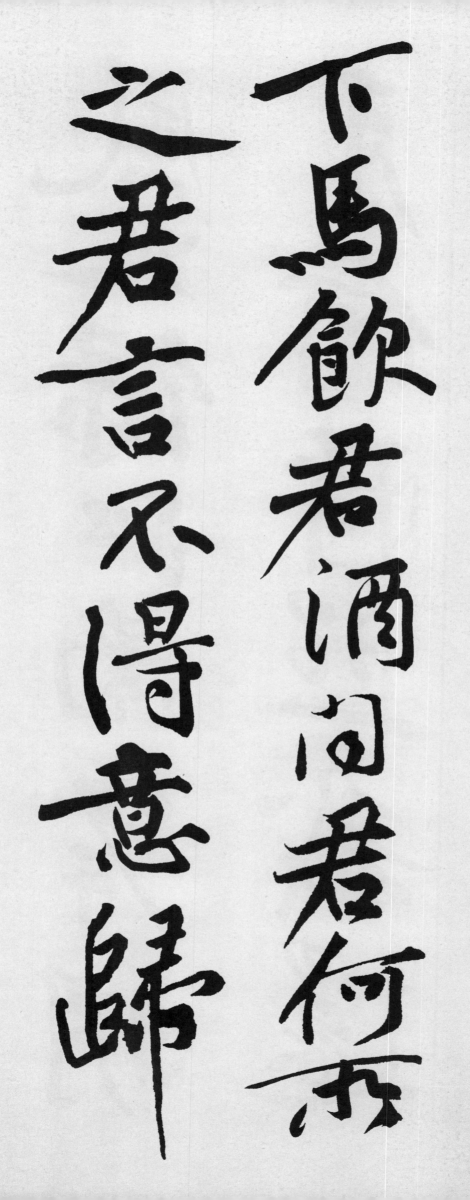

下馬飲君酒問君何所
之君言不得意歸

下马饮君酒，问君何所之。君言不得意，归卧南山陲。但去莫复问，白云无尽时。

《送别》王维

卧南山陲但去莫復

問白雲無盡時

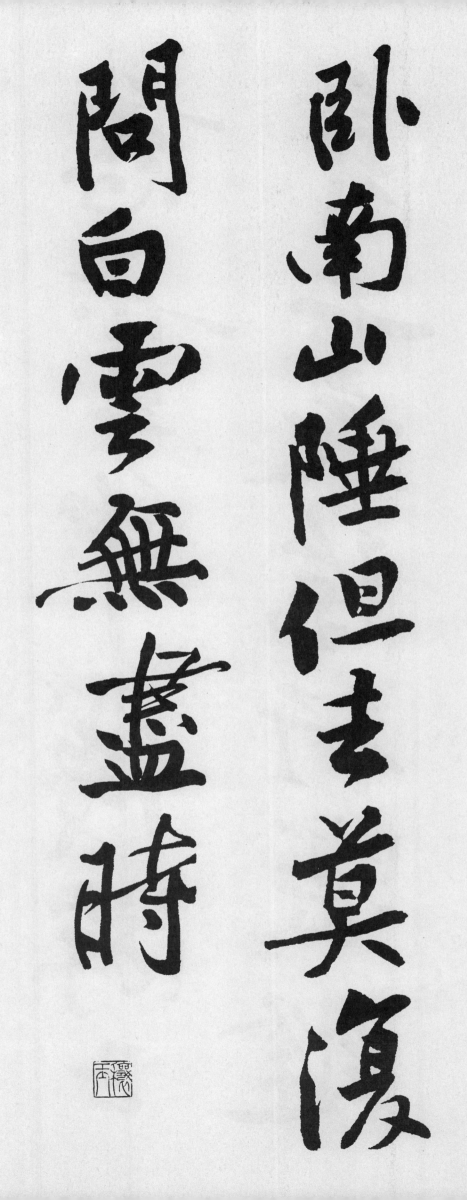

慈母手中线，游子身上衣。临行密密缝，意恐迟迟归。谁言寸草心，报得三春晖。

《游子吟》孟郊

慈母手中綫游子

身上衣臨行密密縫

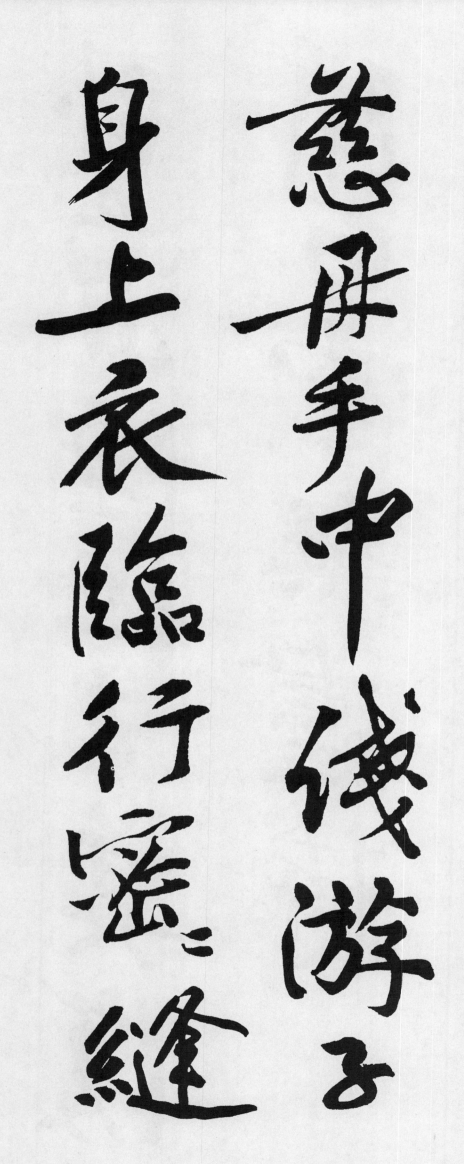

意恐遲〻歸誰言

寸草心報得三春暉

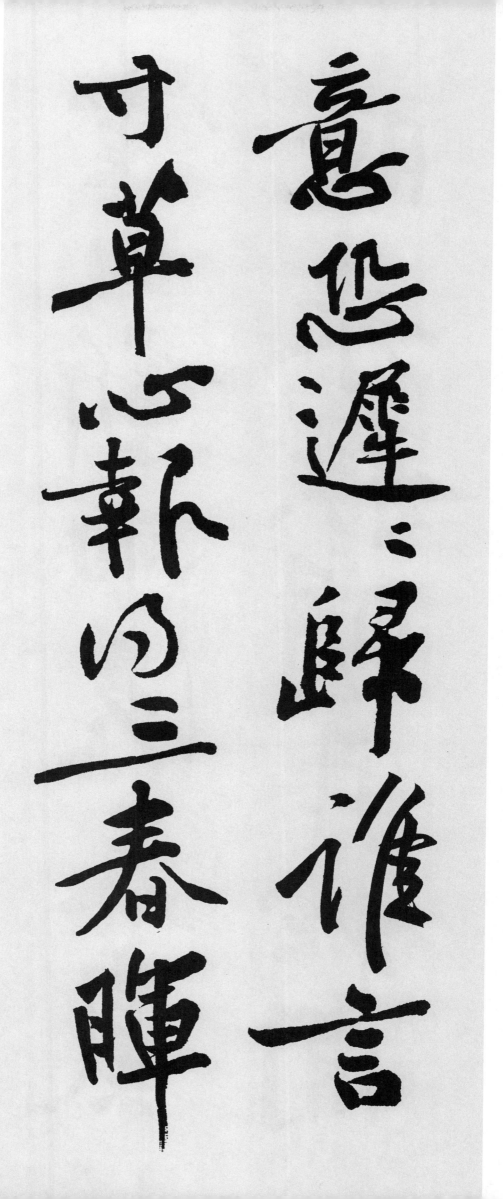

空山新雨後天氣
晚來秋明月松間

空山新雨后，天气晚来秋。明月松间照，清泉石上流。竹喧归浣女，莲动下渔舟。随意春芳歇，王孙自可留。

《山居秋暝》王维

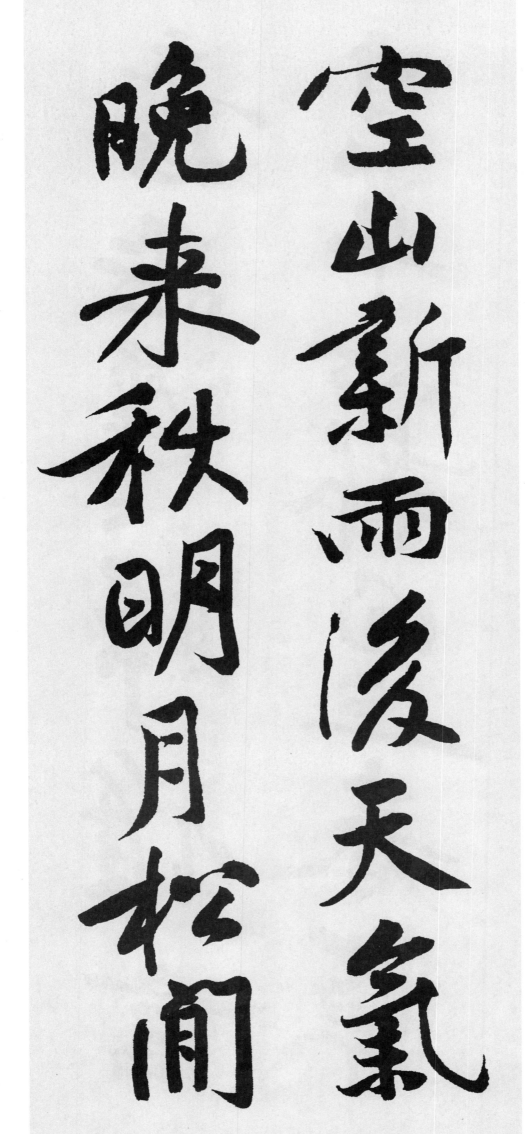

照清泉石上流竹
喧歸浣女蓮動

下漁舟隨意春芳
歇王孫自可留

渡遠荊門外來從
楚國游山隨平野

渡远荆门外，来从楚国游。山随平野尽，江入大荒流。月下飞天镜，云生结海楼。仍怜故乡水，万里送行舟。

《渡荆门送别》李白

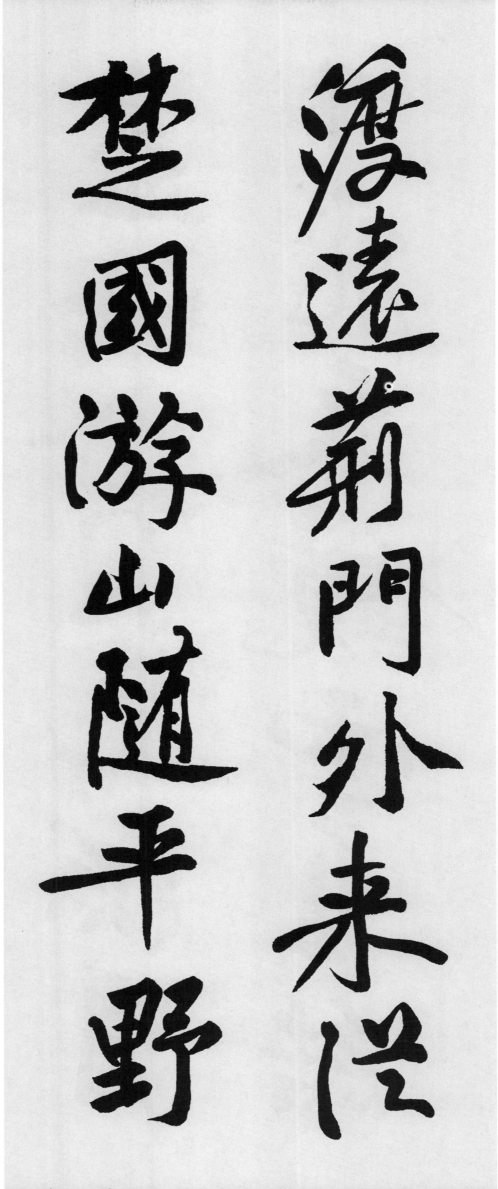

盡江入大荒流月
下飛天鏡雲生結

海樓仍憐故鄉
水万里送行舟

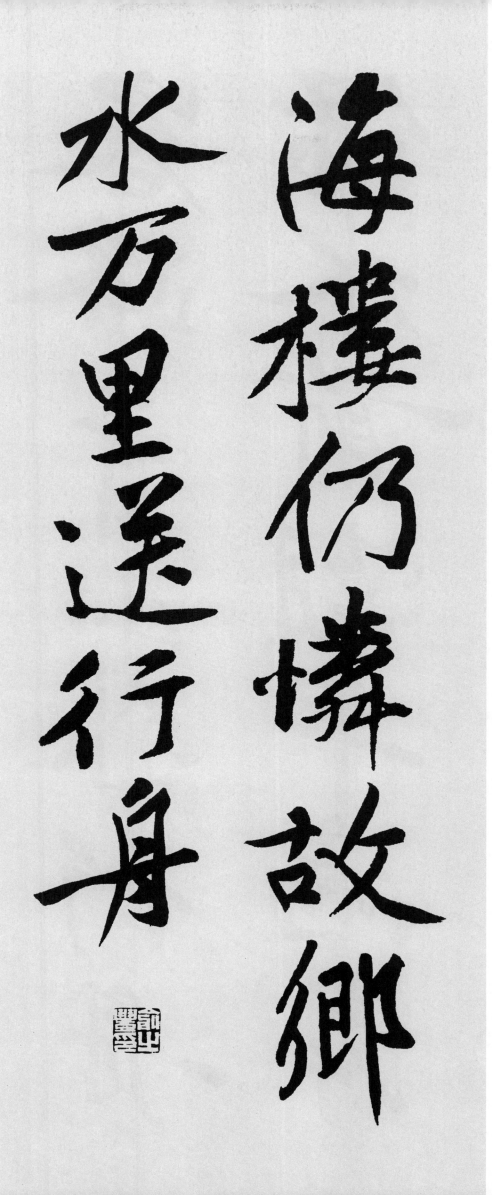

客路青山外，行舟绿水前。潮平两岸阔，风正一帆悬。海日生残夜，江春入旧年。乡书何处达，归雁洛阳边。

《次北固山下》王湾

客路青山外行舟

绿水前潮平两岸

闊風正一帆懸海

日生殘夜江春入

舊年鄉書何處
達歸雁洛陽邊

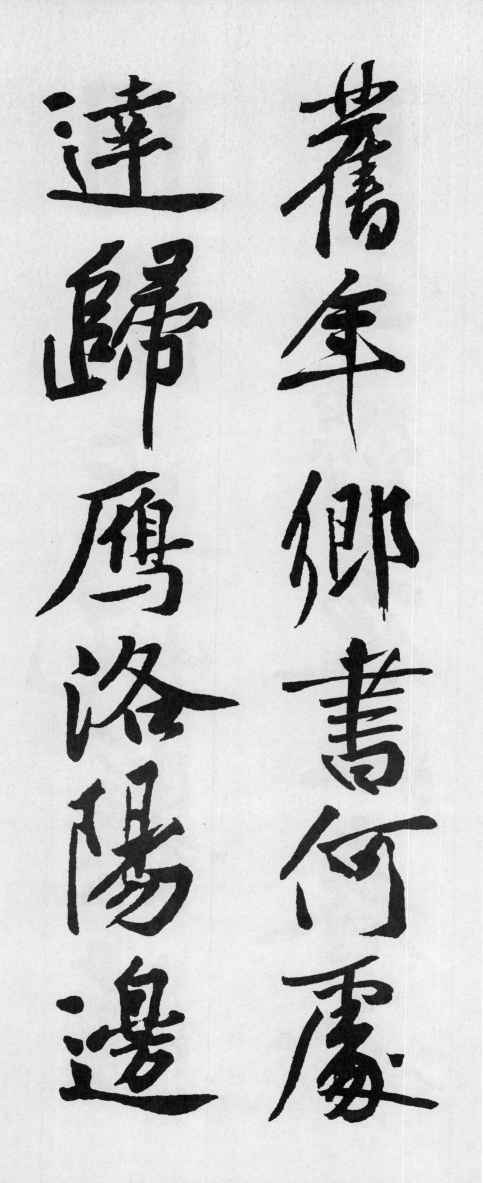

世亂同南去時清獨
北還他鄉生白髮舊

世乱同南去，时清独北还。他乡生白发，旧国见青山。晓月过残垒，繁星宿故关。寒禽与衰草，处处伴愁颜。

《贼平后送人北归》司空曙

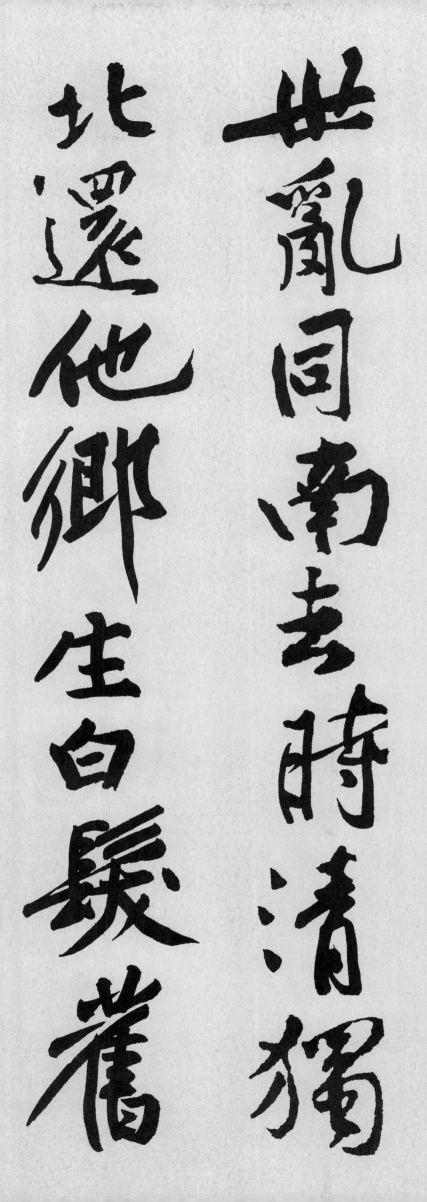

國見青山曉月過
殘壘繁星宿故

關寒禽與衰草

處處伴愁顏

乙酉時節

俞豐集

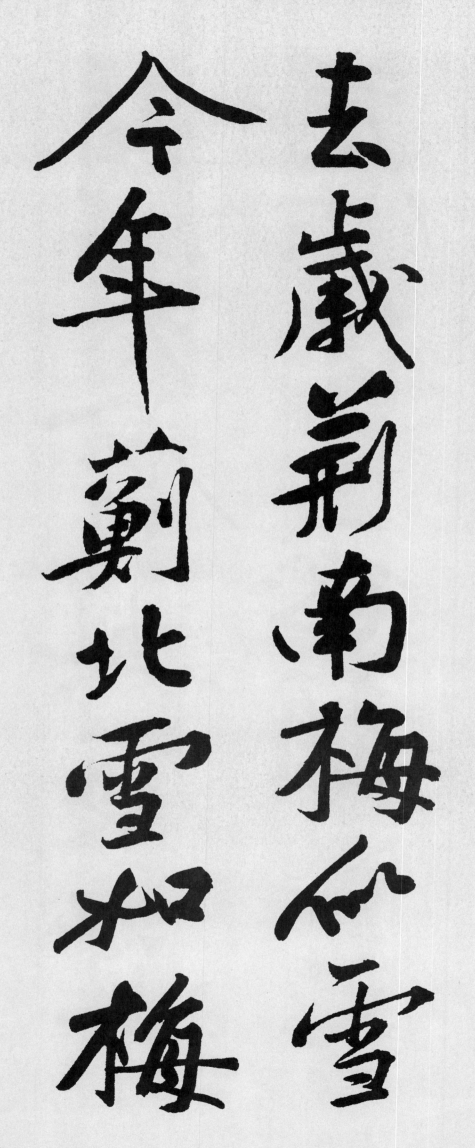

去歲荊南梅似雪
今年薊北雪如梅

去岁荆南梅似雪，今年蓟北雪如梅。共知人事何常定，且喜年华去复来。边镇戍歌连夜动，京城燎火彻明开。遥遥西向长安日，愿上南山寿一杯。

《幽州新岁作》张说

共知人事何常定
且喜年華去復

來邊鎮戍歌連夜
動京城烽火徹明

開遙遙西向長安日
願上南山壽一杯

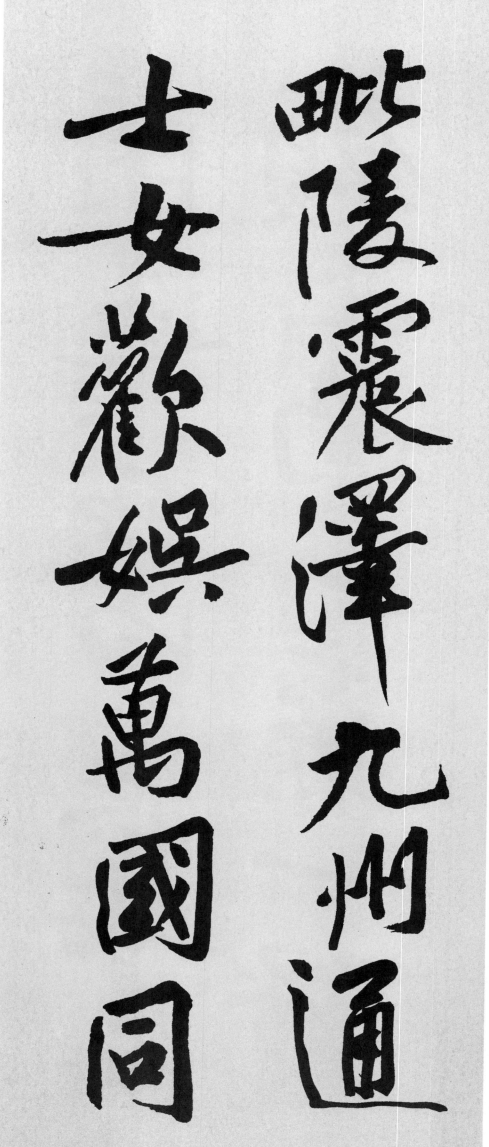

毗陵震澤九州通
士女歡娛萬國同

毗陵震泽九州通，士女欢娱万国同。伐鼓撞钟惊海上，新妆袨服照江东。
梅花落处疑残雪，柳叶开时任好风。火德云官逢道泰，天长地久属年丰。

《大酺》 杜审言

伐鼓撞鐘驚海上
新妝袨服照江東

梅花落處疑殘雪
柳葉開時任好風

火德雲官逢道泰
天長地久屬年豐

责任编辑：时洁芳
技术编辑：钱勤毅
封面设计：潘志远

图书在版编目（CIP）数据

黄庭坚行书集字古诗／俞丰，瞿秀华编．—上海：上海书画出版社，2005.7
（中国古诗集字字帖系列．第2辑）
ISBN 978-7-80725-085-2

Ⅰ．黄… Ⅱ．①俞…②瞿… Ⅲ．行书-法帖-中国-北宋 Ⅳ．J292.25

中国版本图书馆CIP数据核字（2005）第053552号

☆中国古诗集字字帖系列（第2辑）

黄庭坚行书集字古诗　俞丰 瞿秀华 编

上海书画出版社 出版发行
地址：上海市延安西路593号
邮编：200050
网址：www.shshuhua.com
E-mail: shcpph@online. sh.cn
上海书刊印刷有限公司印刷
各地新华书店经销
开本：787×1092 1/12
印张：7.34
2005年7月第1版　2021年3月第10次印刷

ISBN 978-7-80725-085-2
定价：20.00元